JN049121

人の好き嫌いなんていい加減なものよ。

他人に振り回されないための
Tomy流処世術

KADOKAWA

はじめに

はーい、ゲイの精神科医Ｔｏｍｙよ。

アテクシは、精神科医として日々診察をこなしつつ、楽な生き方について書いているコラムニストでもあります。

さて、**今回の本のお題は「他人に振り回されない」**。

生きていると多くの人に振り回されることがあると思います。そんな中いかに他人に振り回されずに生きていくかってことについて、様々な人生のステージや状況別に考えていこうと思っているわ。

でもね、「振り回される」相手は、実は他人とは限らないのよね。様々な出来事や、コントロールできない自分の感情にも振り回されるわけです。

だから、他人に限らず、あらゆることから振り回されないためにどうしたらいいかまで突っ込んで、広く深く考えていこうと思っているわ。

人っていろんなことを気にしてしまう生き物よね。**他人に振り回されたり、逆に振り回したりするときに、土台にあるのが「好きか、嫌いか」、人の感情かもしれないわ。**

でもね、アテクシは思うの。

「人の好き嫌いなんていい加減なものよ」

さて、そろそろ振り回されないための処世術をお伝えしていくわね。

もくじ

第2章

恋愛相手に振り回されない

第3章

夫、妻に振り回されない

第4章 会社の人間関係に振り回されない

第5章 友人に振り回されない

第6章

自分に振り回されない

装丁　井上新八
本文デザイン　田中俊輔（PAGES）
イラスト　カツヤマケイコ
校正　文字工房燦光
DTP　山本秀一、山本深雪（G-clef）

Tomy流 振り回されないための基本テクニック

最初に、振り回されないための基本テクニックをご紹介します。いくつかあるけれど**振り回しの状況が違っても、同じテクニックを使えたりします。**テクニックって言ってもお料理みたいなものなの。どんなお料理も基本の技術ってあるでしょ。それと同じよ。

これは精神科医療で使うテクニックや自分の経験から、アテクシが考えたものです。

振り回されないためのテクニックには大きく分けて以下の4種類があるわ。

テクニック① 枠組み設定

精神科医療でも用いる方法。簡単にいえばルールを事前に示して、守れなかった場合のペナルティを決めておくなど厳密に運用する方法。

テクニック② 距離をとる

相手との距離が近すぎないよう適切な距離感をとるテクニック。

テクニック③ 自分のペースを作る

相手のペースに巻き込まれないよう自分のペースを作るテクニック。

テクニック④ 自分のストレスを軽減する

自分の考え方を変えて、振り回されてもストレスを感じにくくするテクニック。

それではそれぞれの方法について説明していきましょう。

テクニック① 枠組み設定

枠組み設定は精神科医療でよく使う手法です。主治医と患者さんとの関係において、患者さんのニーズに医者がすべて応えるわけではないのよ。たとえば、「この薬が欲しいから処方してほしい」と言われたとしても、「はいはい」とそのまま処方するわけにはいかないことがある。

薬の適応がなければ処方はできないし、依存性の高い薬も安易に処方するわけにはいかないの。「これを処方することで、長期的に見て患者さんにとって治療につながるか」ということを主治医は専門知識に照らしながら総合的に判断して、処方を決めなければいけないわけです。

また、決められた薬を飲みすぎてしまったり、指示通りに飲まなかったりする患者さんも時々います。本来は「医師の指示通り服用する」ということを前提に処方しているわけだから、こういうことをされると、次の処方ができなくなってしまう。また、決められた受診日や診察時間を守らず診察を求めてくる患者さんもいます。もちろん、体調が悪くて緊急受診をされる場合は仕方がないけれど、主治医と患者さんという関係性は、信頼関係の上に成り立っているので、こういうルールを守るというのは最低限必要なことなのね。

他人を振り回しやすい人は、お互いの暗黙の了解をどんどん崩してしまって、相手を巻き込んだりコントロールしたりするような人なのよ。だからこそ、この枠組み設定のテクニックを生かすことができるの。具体的な「枠組み設定」は、

▼すべてが始まる前に、ルールを明確に伝えておく。
▼ルールを破ったら、こちらも約束通りのことはできないと伝える。
▼ルールを破ったときは例外を作らず厳密に対応する。

たとえば、自分の都合で振り回してくる彼氏がいたら、「自分の都合で物事を決めるのはやめて、私にも相談してほしい。もしそれができないのなら、恋人でいることはやめます」と伝えます。で、相手の都合で決められそうになった

ら、「前も話したように、勝手に決められると恋人でいられなくなるよ」と話します。それでも取り合おうとしなかったら、「ちょっともう恋人でいられない。ごめんね」と言って距離をとります。

ちょっと厳しいようだけど、相手をどんどん振り回して人間関係を破綻させてしまうような人って、自分の行動が原因だとあまり自覚していない人が多いのよ。そういう人にクリアに、何が問題か知ってもらうことは相手のためでもあります。それに、本当にアナタとの関係を続けたいと思っているのなら、どこかでがんばろうとしてくれるはずよ。

そしてもう一点、**大切なことは情に流されてルールの運用を甘くしないこと。**

相手に愛情があって、なんとなくむげにできないからって許しちゃうと、また同じことが前よりひどくなって表れてくると思うわ。

枠組み設定のテクニックでは、ルールを破っても、なんとかなっちゃうと相手に学習させないことが大切なのよ。

テクニック② 距離をとる

続いてのテクニックは距離をあけるテクニック。相手が振り回してくるようなときって、相手との距離が近すぎるケースもよくあるわ。距離が近いと「共依存」の関係になってしまうのよ。**お互いが相手の存在に依存してしまっているから、無理を言われても、言うことを聞かないと見放されるんじゃないかと思ってしまう。**お互いが洗脳されちゃっているようなものだから、冷静になって考えることが大切。一番手っ取り早いのは距離をあけるということね。

具体的な方法としては

▼時間減らし術…単純に接触している時間を減らす方法。接触している時間が少なければ、振り回される時間も少ない。

▼リアルディスタンス法…物理的に距離をあける方法。相手と同棲していたり、隣に住んでいたりする場合、実家に帰るとか、引っ越すとか、遠くの

学校や職場にするとか、考えられる範囲で物理的に距離をとる。

▼すれ違い戦法…タイミングをずらす方法。相手が家にいる時間帯に出かけるとか、起きている時間帯をずらすとか、食事を一緒にとらないなど、接触時間を減らす方法。

▼いつもみんなで作戦…簡単に言うと、二人きりにならないってこと。常に複数、できれば大勢で会うようにする方法。

テクニック③自分のペースを作る

続いてのテクニックは、自分が主導権をとる方法よ。相手に振り回されてストレスをためないために、自分のペースをしっかり確立するの。そのためにはいくつかテクニックがあるわ。たとえば、適当に誤魔化して相手を「けむに巻く」方法。「なあんだそんなこと?」って思うかもしれないけれど、これはとっても大切なテクニックなのよ。というのも、**振り回されやすい人の特徴として、**

「真面目に受け答えすぎてしまう」というのがあるの。だから話をへんな方向にずらしたり、なんとなく違う話をして話題をそらしてもいいのよ。結局相手を振り回す人は基本的に自分の話しかしていません。だから「自分の話をする」ように切り替えてしまうの。最後に自分に自信をつけること。**振り回されるのは、相手だけの問題ではなくて、自分自身の問題でもあるということね。**自信のつけ方は簡単。人間関係をいろいろ作っておくこと。コミュニケーション上手じゃなくても、ウマの合う人は意外に何人もいるものよ。

具体的な方法は次の5つよ。

▼自分が主役術…自分が主導権をとる方法。聞き役にならない、相手に話させない、自分が主導権を握るようにする方法。

▼誤魔化し戦法…適当に誤魔化して「けむに巻く」方法。誤魔化して予測のつかない答えをしたり、話をへんな方向にずらす方法。

▼スルーテクニック…相手にしない、聞き流すという方法。簡単な返事だけ

して、自分から話を広げない方法。

▼ワガママ戦略…「自分のことだけを考える」方法。相手の話は聞かず、自分の話だけをして相手を近づかせない。

▼自己評価向上計画…自信をつけて自己評価を上げる方法。「相手に合わせなくてもいい」と考えること。心地よい人と人間関係を作ること。

テクニック④ 自分のストレスを軽減する

これまでは相手に直接振り回されないテクニックについて紹介してきたけれど、**最後に紹介するテクニックはどちらかというと「振り回す相手にイライラしない自分になるためのテクニック」になります。**

人を振り回してしまう人にも、振り回してしまう理由があると考えて、**振り回してくる相手の状況を想像することで、自分のストレスが和らぐことがあります。**

また振り回してくる相手の価値を下げるテクニックも有効。**振り回され**

ているときって、無意識のうちにその人のことばかり考えてしまっているわ。これは言い方を変えればアナタの心の中で、振り回してくる人の価値が高まっている状態なのよ。相手の価値を下げるには、趣味を増やしたり、関わる人間の数を増やしたりして、振り回してくる人のことだけを考えるのをやめることです。

ストレスを和らげる具体的な方法は次の2つ。

▼イメイジング法…相手の立場を想像する方法。ただ「理解」まではしなくてよし。想像するだけでいいのがポイント。

▼分散化法…振り回してくる相手の価値を下げてしまう方法。いろんなことに興味を持ち、相手のことを考える時間を減らす方法。

以上、各お悩みへの回答に登場するこれらのテクニックを覚えておいてね。

第1章

親に、子に振り回されない

第1章では親や子に振り回されない方法について考えていきます。親子関係で特徴的なのは、「親子は唯一無二の関係で、ずっと親子であり続ける」という点なのよね。友人や恋人、パートナーなら解消はできるけれど、親子は解消できない。

特に、自分が子どもの場合、成人するまでは親元で育つことが多いと思うので、距離をとろうとしてもなかなかとれないわけ。でもちょっとした工夫で、親との距離を保つことは可能だわ。それについても追い追い見ていきましょう。

成人した後でも、結婚した後、孫ができた後、親に介護が必要になったときなど人生のステージが変化してくると、今度は自分の子どもとの関係も変わってくるわ。

自分が子どものとき、親になったとき、それぞれで親子関係に振り回されないようにするためにどうしたらいいのかを、ケース別に見ていくとしましょう。

Case 1

ケース
1

過干渉な親

いつも自分が何をしているのかチェックしてくる親にほとほと参っています。僕が見てる動画や、友人関係にまで口を挟んできます。やめてほしいのですが、「あなたが心配だから」と聞き入れてくれません。（17歳、男性）

親の言っていることを聞きすぎると、

Tomy流アンサー

ありがちな問題ね。過干渉な親というのは、実は親が子離れできていないところに問題があるのね。だから、子どもから「No」の意志を強く表明すると、親が「子どもが悪い子になってしまった」などと過剰に反応する可能性があります。

それでも、冷静になって子どもから過干渉な親に「No」を伝えるのをおすすめするわ。

親は確かにアナタのことが心配なのよ。親からしてみたら、いつまでたっても小さなアナタなんだと思います。親にとって17年って長いようで短いから。でも、17歳なんだし、もうそんなこと聞いていられないわよね。

こういうときはアナタが主導権を握るテクニック③（15ページ）でいきましょう。「僕はちゃんとやってるから大丈夫だよ」と答えて、親の質問にはすべて答えない。時々そうやってもいいと思います。あるいは親と接するのを避ける。無視をするわけじゃなく、「答えたくないことには答えない練習」を始めてみましょう。

それでも、なかなか上手く断れず、いつかどかんと爆発して大喧嘩になることがあるかもしれないわ。それでも決して落ち込まないで。だいたいどこの親子もこういう喧嘩はやってきているのよ。それを繰り返すうちに、上手な距離感を、親も子どももつかむことができるようになってくるのよ。

一番いけないのは、アナタが爆発することもなく、距離をとることもなく、自分を押し込めて言うことを聞き続けること。親の言っていることを聞きすぎると、だんだん自分が何をしたいのかわからなくなってくるのよ。

だんだん自分が何をしたいのか
わからなくなってくるのよ。

なんとなく親の干渉を
受け入れていると、
だんだんストレスが
たまって爆発しちゃうわ。
それぐらいなら、

日頃からちょっとずつ
距離を置いたほうがいいのよ。
それは決して
親との仲が悪くなっている
わけじゃない。

ケース
2

放任主義な親

うちの親は昔から私のすることに何も口を挟んできません。「アナタの決めることだから」と放っておかれているような気がします。友達に言うと「えー、うらやましいじゃん。うちの親なんていろいろ干渉してきてうざいよ」と言われることが多いです。でも**自分としては親があまり自分に愛情を持ってくれていないような気がするのです。**

（16歳、女性）

人間関係が一番ぎくしゃくする理由って何だと思う？

Tomy流アンサー

過干渉な親も多くいるけれど、時々放任主義な親もいるわね。ただ子どもの側に「もっと構ってほしい」という思いがあるなら、相対的に親が冷たいと感じることもあるかもしれないわ。

親子だと距離が近すぎて、思っていることも逆に言いづらくなっていることもあると思います。単純にコミュニケーション不足の可能性もあるわよね。なので、アドバイスとしてはこれ。

親に自分の気持ちをちゃんと伝えなさい。意識しないとなかなか伝えにくいものよ。

親には親の教育方針というのがあると思うのよね。でも教育方針は必ず子どもに伝えるわけじゃないわ。だから、アナタが寂しいと感じていることを親が理解していないのかもしれないわね。

親子って物心ついたときから始まっている人間関係だから、スタイルを変えるのがなかなか難しいのよね。小さい頃からあまり触れないことは触れないままで過ぎてしまう。だから、親は意見があっても、子どもになかなか伝えられなくなっちゃうのね。でもそれじゃ、いつか上手くいかなくなっちゃうわ。アナタも日々成長していろんなことを感じるようになるわけだから。

たいていの場合アナタが思っていることは勘違いなのよ。人間関係が一番ぎくしゃくする理由って何だと思う？

コミュニケーション不足なの。だから一度勇気を出して、親に「自分のことを大切にされていないような気がして寂しい」と言ってみなさい。新しい展開があるかもしれないわよ。

コミュニケーション不足なの。

Case 3

ケース
3

仕事を認めない親

俳優をやりたくて、がんばっています。最近はちょっとした仕事がもらえるようになってきました。しかし、両親がそれを認めてくれず、**「ちゃんと安定した仕事に就きなさい」「大手の会社の会社員にならなきゃ」などと言ってきます。**どうしても認めようとしてくれないので、イラっとしてしまいます。（21歳、男性）

「ああ、また自分の感想を言っているんだな」と意識して、

Tomy流アンサー

そうなのよ、親って「地に足のついた仕事」を子どもに求める傾向にあるわ。反対に子どもは可能性が低くても「夢」にかける傾向があります。そして、エネルギーが余っているので、短絡的に成果を出そうとする傾向もあるわね。そこに子どもの「認めてもらいたい」という自己承認欲求も絡んでくるので、余計状況がややこしくなりやすいのよ。

ただ、冷静に考えてみれば、親にしても子どもに上手くいってもらいたいと考えているはずで、別に子どもを否定するのが目的ではないのよ。方法に対する価値観が違うだけなんです。

こういうときはテクニック③の「自己評価向上計画」（17ページ）という方法

が一番いいわね。ただこれは簡単にはできないので、まず親の言うことは絶対であるという考え方を変えてみるのがいいと思うわ。

親はいつまでもアナタを評価する存在じゃないわ。ただ自分の感想を言っているだけなのよ。

小さな頃から親の元で育つから、親が自分のことをほめ、しかるというのが当たり前だと思ってしまいやすいのよね。そして、親にとっても子どもはいつまでたっても子どもだから、子どもをほめたりしかったりしようとする。

そして、この親子の誤解というのは、自覚したほうが意識を変えるしかない。

親にもう関係性は変わっていることを理解してほしいと期待するだけ無駄だし、お互い振り回されてしまうのよ。

アナタのほうから、「ああ、また自分の感想を言っているんだな」と意識して、親の言葉を客観的に見る、それが一番大切なことよ。

親の言動の重みを軽くして、その間に自分に自信をつけていくのがいいわね。

親の言葉を客観的に見る、
それが一番大切なことよ。

大人になったら親も子どもも
一人の人間に過ぎないの。
親からの言葉はアナタを
認めるとか認めないとか
そういう話ではなく、

一人の人間の「感想」に過ぎないのよ。それをちゃんと自覚することが振り回されないために必要なことなのよ。

ケース
4

恋愛相手を認めない親

今交際中の彼がいます。彼は優しい人ですが、12歳年上です。一度会わせたことがあるのですが、反応がいまいちで**「もっといい人がいるんじゃない?」「今はいいと思ってるかもしれないけどね」などと口を出してきます。**あまりにもしつこく言われるので悲しくなってしまいます。(23歳、女性)

何度も繰り返し登場させることで、

Tomy流アンサー

アナタの年齢だと今後親にとっては、その彼が家族になる可能性があるわよね。仕事と違い、親のプライベートにも関わってくるので干渉の度合いが変わってきているかもしれないわ。

この場合はテクニック④の「イメイジング法」（18ページ）がいいと思うわ。というわけで、こんな考え方はいかがかしら？

親は彼に恋していないから、ネガティブな観点になりやすい。**アナタは彼のことが好きだけど、親は彼のことを知らないからどうしてもネガティブな評価になりがちなの。**まず大切なことは、機会を見て彼の話題を親に切り出すこと。

さりげないことでいいのよ。そして、彼のいい点を話す。たとえば「誕生日にこんな素敵なお祝いをしてくれた」「仕事が大変だけど、決して愚痴は言わないの」「友達思いで友達がたくさんいるみたい」とかね。

何度も繰り返し登場させることで、徐々に好意を持つようになってくるのよね。そしてできれば、時々ちらりとでもいいので顔を見せにいくようにして。彼がどんな人か、親にゆっくりわかってもらえばいいのよ。

アテクシのかつてのパートナー、ジョセフィーヌの場合も、何度も自分からアテクシのお母さんのところに顔を出すようにしたのよね。まだアテクシがカミングアウトしたばかりで、しかもそのことを母親はあまり受け入れてくれていなかったときだったわ。

最初は会話もろくになかったけれど、どんどんアテクシの母親はジョセフィーヌのことが大好きになっていったのよね。そして「あなたにはこんないい人がいてくれて私も安心だわ」とまで言ってくれるようになったの。

これからがアナタの腕の見せ所よ。

徐々に好意を持つように
なってくるのよね。

Case 5

ケース
5

アルバイト中の自分を認めない親

私は小説家になりたいので、それに向かってがんばっています。小説を書くテクニックを学んだり、賞にも応募したりしています。バイトはしていますが、執筆時間を優先しているためそこそこにしています。でも親にはちゃんと働いてほしいと言われています。**昔から親は自分の言うことに反対してくるので折り合いが悪いです。**

（29歳、女性）

親というのは、「長い目で見たらどうなのか」という観点で

Tomy流アンサー

　ここでもまず、「イメイジング法」が大切ね。親の立場になってみると、純粋にアナタのことが心配なのよ。

　本当にアナタがストレスを減らそうと思うのなら、距離をとることだと思うの。もしできるのなら、一人暮らしをするのが一番だと思うわ。そうしたら直接文句も言えないだろうし。

　親というのは、「長い目で見たらどうなのか」という観点で意見を言ってくることが多いのよね。アルバイトをしているアナタの言動に対して、いちいち反対したいわけじゃないかもしれないのよ。たとえば、

- 小説はいつでも書けるけど、生活を固めておかないと小説を書く余裕すらなくなる

・本当に好きなことなら、仕事が大変でも続けられる

といった意見を持っているのかもしれないわ。アテクシも本が大好きだったから、本に囲まれた生活か、小説家になりたいと思った時期もあったわけ。でも親は「医者になれるのならなりなさい」と言っていたの。

アテクシは「何で？」とは思ったけど、とりあえず言うことを聞いて勉強したわ。今になるとそれは大正解だったと思うの。医者になるためには、学生の頃にたくさん勉強しておかないとなかなかなれないからよ。後から勉強して目指すのはハードルがかなり高い。いい悪いの問題ではなく、世の中の制度がそうなっているからなのね。

あとアテクシはじっとしているのが苦手で、勉強するのにかなり体力と集中力が必要だった。若い学生の頃じゃないと、とてもできなかったと思うのよ。そういうことも親は考えていたと思うの。結局精神科医をやっていたおかげで、こうして本を書くこともできるようになったんだけどね。

意見を言ってくることが多いのよね。

大切なことは
「親はなんでも反対する」
と思い込まないこと。
なぜ反対するのか、冷静に
聞いてみることも大切なのよ。

その上でアナタが自分の
生き方を決めればいいのよ。
人間は誰もが
図星なことを言われると
イラっとするものだから。

ケース
6

親の介護

高齢の母は足が悪く、ここ1年は私が半分介護しているような状態です。しかし、母の頭はしっかりしているので、本人が思うようにできないストレスもあって理不尽に怒られてばかりです。

母の気持ちもわかるのですが、なぜここまで言われなきゃいけないのかと悲しく思うこともあります。

どうすればいいでしょう。（46歳、女性）

お母さんがいらついているのは今の状況であって、アナタではないの。

Tomy流アンサー

このケースも「イメイジング法」を採用するのがぴったりなケースね。お母さんも不安で仕方のない高齢の女性で、アナタを頼るしかないってことなの。気持ちはわかるけれど、悲しくならなくてもいい。なぜなら**お母さんがいらついているのは今の状況であって、アナタではないの。**きっとアナタに感謝していると思うけど、余裕がなくなって攻撃することしかできないのかもしれないわ。

その上で、アナタもつぶれてしまってはいけないから、ある程度我を通すことも大切。「ワガママ戦略」や、「スルーテクニック」、「自分が主役術」（16ページ）などを駆使して、自分がつぶれることなく長期戦でもやっていけるようにコントロールするのがいいと思うわ。

お母さんの状態を考えると、ストレスもたまるし、自分で何もできない焦りもあるし、「娘だからこれぐらいやってよ」という気持ちも当然出てくるから、このままいくと際限なくアナタへの要求が増えてしまう。

ついついやってしまうと思うんだけど、実はいろいろやってあげるほど、お母さんのストレスも増えてしまうのよ。なぜかというとアナタに対する期待値が上がってしまうからなのね。

たとえば、毎日散歩に連れていくと、お母さんも「今日も散歩に連れていってくれるのか」ということを気にするストレスが増えるわけ。そしてアナタに事情があったり疲れていたりして、「今日は行けない」と伝えると喧嘩になる。

これを防ぐには、**「やらないときは問答無用でやってあげない」ことを徹底する。**そうするとお母さんも「今日やってくれたら嬉しいわね。まあ、できなかったらしょうがない」と期待値が下がる。こうして互いのストレスも減るのよ。アナタとしても「やりたくないときはやらない」と徹底すれば、断ることに対するストレスが減る。お互いにいいわけなのよ。

「やらないときは問答無用でやってあげない」ことを徹底する。

Case 7

ケース
7

死別した親

先週父がすい臓癌で亡くなりました。3ケ月前に癌がわかってからあっという間のことでした。**とても元気な父で、もっと長く一緒に過ごせると思っていました。**時々思い出しては涙が止まらなくなります。このわだかまりをどこにもっていけばいいのか、悩んでいます。（41歳、男性）

日常のことを淡々と行うことで感情を切り替えながら、

Tomy流アンサー

この場合、相手というのは亡くなってしまっているわ。だけど、お父様の思い出や喪失感がアナタを振り回してしまうのね。いわば「アナタがアナタ自身にどう振り回されないか」がテーマになってくると思います。

方法としては自分のペースを作りつつ、自分のストレスを軽減していく方法が主体になってくるわね。**死別の後に一番アナタを振り回す可能性があるのは「後悔」の気持ちなのよね。**

どんな状況であっても死別後には「もっとできたことがあったんじゃないか」と自分を責めてしまう人が多いのよ。これは死別のショックを「自分を責めること」でなんとか整合性を保とうとする心の働きでもあるの。

でも、この自責の気持ちは、アナタ自身を振り回し摩耗させる両刃の剣でもあるのよ。だから、何よりも自分の心を優先させて、自分のストレスが減るように行動したほうがいい。「ワガママ戦略」の考え方で、父親が亡くなったのに不謹慎などと思わず多少傲慢なぐらいでちょうどいいと思ってちょうだいね。

そして一人で悲しみを抱えないこと。分散化させてみんなで一緒に悲しむようにしましょう。この時期をなんとか乗り越えることが最優先だからね。

一人の身近な人間の存在が無くなるのはとても大きなこと。様々な感情が出てきて当然だし、消化するには時間もかかるわ。感情を押し殺してもいけないし、ひたすら考えて増幅させるのもいけない。

日常のことを淡々と行うことで感情を切り替えながら、次第に収まるのを待ちましょう。個人差はあるけれど、必ず乗り越えられるから、そこは大丈夫。安心していいのよ。

次第に収まるのを待ちましょう。

ケース
8

小さい子ども

3歳の息子がいます。夫は帰りも遅く、普段は私と息子で過ごすことが多いです。**息子はやんちゃで言うことも聞かず、外出もままならないのでストレスがたまります。**息子にストレスをぶつけないようにしたいのですが、どうしたらいいのでしょう。（33歳、女性）

自分だけの時間を、1分でも5分でも作れるように

Tomy流アンサー

3歳の子どもって、エネルギーはいっぱいだし、言うことは聞かないし、目を離すわけにもいかないので「振り回される要因」が盛りだくさんともいえるわよね。それでもできる限りのことを組み合わせるしかないと思います。

ただ相手が3歳の子どもだから、やり方はちょっと変えていかなきゃいけないわね。まず枠組み設定。これはルールを決めて、ルールを守らないと自分も相手の要求に応えられないと伝えること。

今回は3歳の子どもが相手なので、**「ルールを守ったらご褒美をあげる」という方法がいいと思うわ。ルールを守ることが良いことだって条件づけて覚えてもらうのね。**

距離をとる方法も有効だけど、やはり目を離すわけにはいかないので工夫が

必要になってくるわね。そこで次の言葉になります。

子どもといるときは、心のセーフティゾーンを作るのよ。

自分だけの時間を、1分でも5分でも作れるように心のセーフティゾーンを作りましょう。

もちろん、時間をずらすとか、離れて過ごすというわけにはいかないけれど、「目を閉じて2、3分瞑想する」とかでもいいのよ。トイレの中でマンガを数ページ読んだっていいし。お風呂の掃除をしてもいい。

最近聞いた中では、一人用のテントを家の中に張って、自分だけの引きこもりスペースを作っている人もいたわ。そこまでしなくても、ヘッドフォンで好きな音楽を聞いたり、しばらくの間耳栓したり、こまめに遮断することを意識するの。

心のセーフティゾーンを作りましょう。

Case 9

ケース
9

思春期の子ども

中二の息子が思春期に入ったせいか、ここ3ヶ月ぐらいまともに口をきいてくれなくなりました。帰ってきても、挨拶もそこそこにすぐ自分の部屋に閉じこもってしまいます。**年頃だから仕方がないなとは思うのですが、ちょっと前までなんでも話してくれたので、寂しく思ってしまいます。**息子の顔色をうかがってしまうのはどうしたらいいでしょう？（45歳、女性）

1、2年もしたら態度も変わってくると思うし、

Tomy流アンサー

思春期の子どもは、保護を受ける存在から、一人前の大人へと移行していく時期。第二次性徴期にもあたるので、何かといらいらしやすいわ。何より子どもが自立するにつれ、身近な親を一人の人格として見るようになります。このとき**最初は親の悪いところだけが見えてきて批判的になることが多いのよ。だから親に対して反抗的になるの。**

思春期の子どもに対しては、枠組み設定や距離をとることが有効になってきます。ただ枠組み設定はこの時期に厳格にやると、かえってこじれてしまうこともあるわ。親のことを支配して束縛する存在だとみなすようになる可能性があるからなの。

だから「食事はみんなでとる」「門限は守る」「学校にはきちんと行く」など、

数を絞って枠組みを設定したほうがいいと思うわ。

またこの時期の子どもはとにかくイライラするものだから、**ちょっと距離をとってあげることも大切だし、子どもにとってもとても大切なことなの。アナタが振り回されないためにも大切です。**思春期の子どもが親にイライラするのは、子どもから一人の人間になるときにパーソナルスペースが広がってくるからなの。今までと違って自分だけの時間や空間が必要になってくるから、親が同じ感じで接してくると過干渉に感じるのね。だからちょっとそっとしてあげる意識も必要だと思うのよ。

とにかく思春期の子どもって、不機嫌だし親の干渉を急に嫌うようになるから、多少は仕方ないのよね。もちろん問題行動に関しては厳しく対応しなきゃいけないけれど、それ以外ならそっとしておくのが一番いいと思うわ。

子どもの成長はあっという間だから、1、2年もしたら態度も変わってくると思うし、温かい目で見守ってあげるのが一番いいと思うわ。

温かい目で見守ってあげるのが
一番いいと思うわ。

子どもに限らず人間ってね、
顔色をうかがっていると
強気になって、そんな相手に
不機嫌に接してしまうもの
なのよ。常におおらかに接して

Tomy's Voice

細かいことは受け流すようにすると、意外と大人しくしているものよ。最後に子どもの成長は寝て待て！ですわよ。

ケース
10

素行の悪い友人と付き合う息子

高校生になった息子が、いわゆる「やさぐれ」のグループに入ってしまったようです。そのグループの子どもたちは評判が芳しくないので、親としては離れてほしいと思うばかりです。先日そのことを息子に伝えたのですが、**「友達のことにまで口を挟んでほしくない」と大声でキレられてしまいました。**一体どのように接したらいいのでしょうか？（50歳、男性）

お子さんの友達に対して口を出すのではなく、

Tomy流アンサー

これは確かに親としては心配よね。ただアナタから見てどんなに問題がある人間でも、お子さんからしたら「友人」。ここに直接口を挟むと子どもは間違いなく反発するでしょう。一緒にいて楽しいから友人になっているんでしょうしね。

こんなときは、**お子さんの友達に対して口を出すのではなく、「枠組み」を決めるのよ。**

本人が誰と付き合おうが、基本的には本人の自由なのよね。だから、そこに口を挟むと関係性が悪くなるわ。大切なことは本人にルールを守らせること。確かに素行の悪い友達はいるけれど、本人が巻き込まれなければそれでいい。

一般的に精神科医療では、患者さんとの間に最低限のルールを決めて、それが守れなければ診察ができないことを本人に伝えるの。それがお互いのためなのよね。たとえば、患者さんによっては処方された薬を大量に飲んでしまう方もいる。これをやってしまうと、医師も薬を処方できなくなってしまう。「決められた通りに飲む」ことを前提に治療しているからなのね。

こういう場合は「意図的にたくさん薬を飲んでしまった場合は、今後治療できません」という約束を最初にしておくのよ。これが枠組み設定ね。

今回のケースも枠組み設定をするのがいいと思うわ。だから、門限を守ることや、飲酒喫煙を禁止すること、学校に行くこと、宿題をちゃんとやることなど、いくつかルールを決めて、それが守れなければその友達との付き合いは避けることを約束させるのよ。

それぞれのルールは当たり前のことだから、直接交際を禁止するより、効果的だと思うわ。

「枠組み」を決めるのよ。

Case 11

ケース
11

すぐ仕事を辞める息子

一人暮らしをしている30歳の息子に振り回されています。というのも勤務1年未満での転職を繰り返しているからです。**本人は環境に不満を持つとすぐそれにとらわれて辞めてしまうタイプです。**息子の不満は仕事をしている以上よくある話で、仕方のないものばかりだと思っています。もう若くもないし、このままでは行き詰まるだろうと心配しているのですが、聞き入れてくれません。(59歳、女性)

人間はやっぱり納得して失敗しないと、

Tomy流アンサー

このケースで大切なポイントは、息子さんがもう自立しているということなのよね。息子さんが「しょっちゅうお金を借りに来る」だとか「勝手に家に上がり込んでいる」ということならともかく、**実際のところは直接振り回されてはいないのよ。**

実はアテクシの冒頭に書いたテクニックは、直接的に振り回すケースを想定しているのよね。だから今回は使いにくい面があるかもしれない。

それでもいくつかのテクニックは使えると思うわ。たとえば距離感を作るテクニック。この場合では、息子さんの話を聞く時間を減らせばいいと思うわ。また、自分自身のことだけを考えるようにする「ワガママ戦略」も有効よね。あとは息子さんだけのことを考えないよう、たくさんの人と関わり合ったり趣味を持ったりする「分散化法」（18ページ）などね。

でも結局のところは、子離れできていないことから発生している悩みだと思うの。息子さんの行動によって直接振り回されているわけじゃないから、子どものことは子どものこととして切り分けて考えるのが一番なのよ。

人間はやっぱり納得して失敗しないと、受け入れないものなのよ。アナタの言っていることは正しいと思うけれど、本人が納得していれば言うことを聞くと思うわ。納得していない以上、いくら正論を伝えてもあまり意味がないのよ。

本人も自立しているのなら、あまり気にしないほうがいいわ。自分の意見だけしっかり伝えておけば、それでいいと思う。人間って同じことを何度も言われると、逆に聞きたくなくなるものなのよね。

受け入れないものなのよ。

ケース
12

言葉の暴力をふるう息子

大学生の息子がいます。とても口が悪く、ほぼ言葉の暴力です。毎日こんな調子なので泣きたくなってきました。私に対してだけだとは思うのですが、**毎日息子の言葉に心を乱されています。**

（48歳、女性）

「親子なのにこんなんじゃいけない」って焦っちゃうと

Tomy流アンサー

言葉の暴力も立派な暴力なので、ちゃんと対応しておかないといけないわね。基本的には、すべてのテクニックを総動員して、対応しなければいけないわ。

特に大切なのは「枠組み設定」。

何らかのルールを決めて、もし息子さんがそれを守れないときにはバイトして一人暮らしをしてもらうぐらいの確固たる対応が必要だと思うわ。

この場合、お母さんだけで進めることは難しい。家族会議を開いて、すべての家族を巻き込んで一枚岩で対応することが大切でしょう。

こういったケースで他にも一つ考えておくことがあるわ。それは**「言葉の暴力は、距離が近すぎることのサイン」ということ**。

距離が近すぎると、暴力をふるうタイプの人間っているのよ。それは「あまり干渉してほしくない、あっちに行ってほしい」というメッセージね。ここで、同じように接していると、だんだんエスカレートしていくわ。もちろん言葉の暴力は許されるべきではないけれど、アナタが傷つけられないように距離を保つことはとっても大切よ。

これはもう、**息子さんと確実に距離をとるテクニックを使って、そっとしておく。何もしないこと。言葉の暴力が出てくるぐらいなら、会話しなくてもいいのよ。**

「親子なのにこんなんじゃいけない」って焦っちゃうと余計悪化するわ。

子どもによって成長するスピードは違うけれど、いつまでもこんな状況が続くわけじゃないわ。押してダメなら引いてみましょ。あとは離れたところから成り行きを見守って。

余計悪化するわ。

第2章

恋愛相手に振り回されない

第2章では恋愛に関する「振り回し」について考えていこうと思います。

私のところにも、恋愛のお悩みが数多く寄せられるわ。恋愛というのは、自分一人だけではなく、二人で作り上げていく人間関係。基本的に好意があることが前提なので強制されている部分がなく、お互いの愛情や気持ちによって結ばれているがゆえに、想定外の事態には脆いものです。

だからこそ、恋愛相手に振り回されすぎないように自分はもちろん、恋愛相手をコントロールすることが、二人の絆を深めるのに不可欠だと思うのよね。

というわけで、様々なシチュエーションで、恋愛の「振り回し」についてアドバイスしていきます。

Case 13

ケース
13

次に会う日程が決まらない

最近気になる人ができました。たまたま会ったときにいい感じになって、「今度は食事に行きましょう」と誘ってくれました。「また確認してお返事しますね」と言われてそれきりです。ただLINEはちょこちょこ返してくれていい感じだと思います。でも日程がまだ決まらないのが心配です。今後、どうしたらいいのでしょう。（22歳女性）

いい感じのときこそ

Tomy流アンサー

この場合は先に結論を言ってしまいます。

気になる人はまだ恋人じゃないわ。

ぶっちゃけそういうことよ。恋の始まりは素敵なものよね。まだ何も始まっていないからこそ、いろいろ期待もしてしまうの。でもこれが厄介なものでね、相手との温度差が違うと逆に不安やストレスのもとになってしまう。

ここはまずは、距離をしっかりとっておくことが大切。**実際の人間関係の深さと、アナタの頭の中の距離感にずれが出てきているのよ。アナタが思うほど相手との距離は近くならないから、あれこれと考えすぎてしまうのです。**

頭の中で「気になる人はまだ恋人じゃない」とつぶやいておくのがいいわね。そうね、恋人どころかまだ知り合いよ。だからどんなに素敵な人でも、「通りすがりに会釈したぐらいの人」だと思っておくのがいいわね。

はじめのうちこそクールになっておく。夢中になって**スマホばかりチェックしてすぐ返信するのではなく、本来自分のやるべきことをやって、たまに確認して返信する。**一回盛り上がっちゃうと振り回されるから、好意は持ちつつも**自分のペースを保っておく。**

お返事も相手から口にするまでは黙っているほうがいいわ。もしその気があるならちゃんと向こうから来るから。そうじゃないのにこちらから急かしても、意味がないばかりか逆効果よ。

いい感じのときこそマイペースを心がけましょ。恋愛の実績に応じた距離感を作っていくことが大切なのよ。

マイペースを心がけましょ。

ケース
14

彼の気持ちが見えない

彼氏ができました。出かけたり外食したりするのはあまり好まないみたいです。家にいてもあまり会話もなく、一人でテレビを見たりゲームをしたりする時間が多いです。**たまに耐え切れず「私のこと本当に好き?」と聞いてしまいます。**当然「好きだよ」とは答えてくれるのですが、あまり不安が消えません。どうしたらいいのでしょうか?(22歳、女性)

恋愛はお互い様。

Tomy流アンサー

今回は恋愛初期のケースです。恋愛初期はまだ相手がどういう人かわかっていないから、不安を抱きやすい人はあれこれ悪いように考えちゃうのよね。実際、世の中には適当に「付き合っている」と口にする輩もいるので、考えすぎとはいえないこともあって難しいものよね。

基本的には、**不安になりやすいこの時期だからこそ距離をとって自分のペースをしっかり作っておく。**「自己評価向上計画」で自分の評価も高めておき、「分散化法」で相手一筋にならないようにする。このあたりはとても大切なことです。もちろんやりすぎると、お互いの愛情が深まっていかないから、**アクセルとブレーキをバランスよく踏むことが大切ね。**これは確かに難しいけれど、重要なのは相手の気持ちよ。

相手が自分といることで充実し、不愉快にならないようにするということ。ただこれは相手の顔色ばかりうかがうわけじゃない。自分にとっても相手の存在がプラスになっているかを時々見返す必要があります。そこで、こんな言葉を。

恋愛はどちらにも主導権があるのよ。

恋愛ってたいてい振り回す側と振り回される側にわかれるわよね。でもね、本当のところ**恋愛はお互い様。双方の努力と気持ちがないと恋愛にならないの。**だから、アナタが常に彼の顔色をうかがう必要はないの。正直、今の状態は彼の恋愛スタイルかもしれないし、都合のいいことだけを言っているのかもしれない。どちらもあり得るわ。

大切なことは、アナタも「彼が付き合うにふさわしい人なのか」という観点を持つことよ。それに、相手に付き合ってもらうわけじゃなくて、お互いの意思で一緒にいるのを忘れずにね。

双方の努力と気持ちがないと
恋愛にならないの。

「ここだけは折れることが
できない」ってポイントを
ちゃんと彼に伝えること。
どうしても彼が納得しないなら、
自分から別れを告げても
いいやと考えること。
このラインを越えたら
お互いのために別れようってことは
意識しておいたほうがいいわ。

ケース
15

LINEの既読スルーが多い

付き合って半年になる彼がいます。LINEしてもなかなか既読がつかないし、既読がついてもすぐに返信してくれません。そのまま連絡が来ないこともあります。「もうちょっとちゃんと返信してよ」と言っているのですが、「あぁ」と面倒くさそうに答えるだけで一向に変わる気配がありません。一体どう対応したらいいのでしょうか。(24歳、女性)

相手のペースだとわかっているのなら、

Tomy流アンサー

次にある程度関係の落ち着いてきた恋愛について考えてみましょう。お互いのペースがわかって慣れてくると、些細なことで不安になることはなくなってくると思います。この時期は**基本的に自分のストレスを軽減するテクニックを用いましょう。**相手の立場になって考える「イメイジング法」と、彼への依存度を下げる「分散化法」はとっても大切よ。

また、この時期は、細かいことへの配慮がなくなって「雑」になる人もいるでしょう。親しき仲にも礼儀ありなので、雑さが思いやりに欠けるようなものであってはいけないと思うけど、多少の雑さはアナタにだからこそ安心して見せられるものなのかもしれない。だからあまり目くじらをたてるのもどうかと思うのよ。そこでこの提案。

相手のペースだとわかっているのなら、自分も同じペースにしてみるの。

連絡の仕方や頻度は、相手との関係性や価値観にもよるのよね。親しくないときのほうがまめに返信するけど、親しくなったら連絡不精になる人もいる。相手を軽んじているとは限らず、安心感からそうなってしまう人もいるのよね。

アナタの場合はある程度関係も落ち着いていて、浮気だとか、関係性を疑うような事態にはなっていないので、「この人はこういうもんなんだ」と思っておくのが一番楽だとは思うのよね。もちろん、簡単にはそう思えないでしょうから、そういうときは相手のペースに合わせてみるのも一つの方法よ。

相手と同じように、すぐ既読をつけない。既読をつけても緊急のとき以外は、返信は急がない。相手の呼吸に合わせることで、自分のストレスを減らすこともできるわ。

一番ストレスなのは相手の呼吸と自分の呼吸が合わないことだから、相手の呼吸に合わせてみるの。

それでもなかなか上手くいかないのなら、「最低その日のうちに返す」など、お互いの妥協案を作って、相手に約束してもらうことも一つの方法ね。まあ、こういうストレスは付き合っていくうちに慣れてきて消えていくことが多いからあまり気負わずに考えるのがいいと思うわ。

自分も同じペースにしてみるの。

ケース
16

彼と話し合いができない

3年付き合っている彼がいます。好きなのですが、**喧嘩になると決して話し合いができず、彼が切れる一方です。**いつも仕方なく私が折れるしかありません。喧嘩しても、彼の顔を見ると許してしまっています。ですが、今では彼のワガママがエスカレートしてきました。別れたほうがいいとわかっているのですが、なかなかそれができません。（30歳、女性）

会う頻度を減らしてもいいと思うわ。

Tomy流アンサー

彼と話し合おうとしても、それができないのはきついわよね。こういうときは自分の中で限界を決めておくのが一番いいのよ。いわば自分に対しての「枠組み設定」ね。**たとえば、喧嘩の頻度が月1になったら距離をあけようと伝える、とかね。**

あとは**会う頻度を減らしてもいいと思うわ。**頭ではわかっているのに、行動できないときってだいたい「情」が邪魔しているのよ。

会う頻度を減らすと情が落ち着いて行動しやすくなるわ。そして、相手がワガママになるのも「情」がなせる業。人間は情が強くなると我慢するタイプと、相手に甘えるタイプがいるんだけど、どちらも「このままじゃいけない」ってことはわかっているの。

会う頻度を減らすことで、
相手が冷静になって切れたり
ワガママを言ったりする頻度が
減ってくるかもしれないのよ。
だから自分の中で我慢の限界を
決めておくことと
情に流されないよう
心理的距離をあけること、
この2つがとっても重要。

Case 17

ケース 17

一方的に決めてしまう彼

付き合って1年の彼がいます。一緒にいて楽しいのですが、**彼は何をするかいつも全部一人で決めてしまうのです。**たまには「今日はどうする？」と聞いてくれてもいいと思うのですが、そんな気配は全くありません。我慢できずに「今日はお寿司食べない？」などと口にしてみたのですが、「いや、いい。別々にしよう」と言われてしまいました。四六時中そんな感じなので、時々愛されていないのではないかとすら思ってしまいます。（30歳、女性）

一番いいのは、アナタの中のバランスでいいから、

Tomy流アンサー

そうね、アドバイスするとしたら、実現できないかもしれないけれど、アナタも自分のやりたいことを提案し続けたらいいと思うわ。時々彼に合わせて、時々自分のやりたいことをやれたら理想よね。

おそらく自己中心的な彼なのでしょう。だからといって、愛されていないというわけではないと思うの。それが彼のスタイルなのよ。ただ二人でやっていく以上、それではアナタにも限界があると思います。

一番いいのは、アナタの中のバランスでいいから、時には我を通すことです。それを彼が拒否したら、言葉通り一人で行動したり、友達と行動したりすればいいのよ。**アナタが「一緒にいたい」「二人で一緒にいなきゃ」と思っているこ**

とを、彼は心のどこかで見抜いているんだと思うのよ。

それがこの力関係になってしまっていると思うから、時には彼に自分の希望を伝えて、がんばって自分のやりたいことをやるの。もし彼があなたのことをちゃんと好きだったら、「あれ」と不安になるはずです。これを繰り返していくうちに、徐々にアナタのプランに従ってくれると思うわ。

もしそれでも一方的に決める態度が変わらなかったら、きつい言い方かもしれないけれど、そんな彼といてもろくなことはないと思います。

時には我を通すことです。

ケース
18

同棲してから上手くいかない

1年付き合っている彼と、この春から同棲を始めました。最初は喜んでいたのですが、**些細なことでぶつかることが多く、しかも喧嘩したときも居場所がないのでかなりのストレスです。**彼と別れることさえ考え始めました。一体どう考えていけばいいのでしょうか？（31歳、女性）

対策としては「問題が起きる前の状態に戻す」ことです。

Tomy流アンサー

同棲って憧れるけど、生活の場が四六時中同じになってしまうから、喧嘩したときに逃げ場がないのよね。大切なことは、同棲する前に「問題が起きることを想定して環境調整すること」なのよ。

・いざというとき一人で寝る布団を用意しておくこと
・お金や家事の分担を明白にしておくこと

などね。まあここまでくると、なあなあで同棲を続けるのは良くないわ。**対策としては「問題が起きる前の状態に戻す」ことです。**つまりは同棲をやめる。**「お互い喧嘩が多いし、同棲する前のほうが関係が良かったと思う。二人の関係を改善するために同棲をやめてみない？」**といった感じで「二人の関係のために」をちゃんと理由として挙げておくことが大切よ。

恋愛では

問題が起きたときに、

二人の方向性を

変えないと

必ず問題が大きくなるわ。

つまり「問題が起きる前の

環境に戻すのよ」

極力早くね。

Case 19

ケース
19

結婚してくれない彼

彼と付き合って3年になります。同棲もしており、落ち着いた関係です。ただ私も30歳なので結婚や子どものことも考えたいと思っています。それを彼に伝えると、「自分がまだ平社員だから、出世するまで待ってほしい」と言われます。私は別に、平社員でも構わないし、共働きでもいいと思っています。

結婚もそうですが、未来の話ができないのが不安になってきました。

とはいえ、別れたいとも思いません。（30歳、女性）

振り回されないためには期待をしないことも大切だけど、

Tomy流アンサー

ちょっと彼の対応は気にかかるわね。いくら関係が落ち着いていても、彼のことが好きでも、本当に彼がアナタのことが好きなら、もうちょっと将来の話をすべきだと思うのよね。

アナタが不安になるのももっともだと思います。彼とアナタの関係は落ち着いていて良好なのかもしれないけれど、**落ち着いた関係＝信頼できる関係とは限らないのよね。**

遠慮なく本音を言って喧嘩ばかりしていても、本当に好き合っている二人なら、それは信頼できる関係なのよ。アナタたちの関係は好きなことを言えていないんじゃないかしら？　**アナタはがんばって向き合っているけど、彼が微妙**

にずれた答えをして、踏み込ませようとしていないわよね。

結果としてアナタは不満を持っているのにそれ以上踏み込みにくい感じになっている。「平社員でもいい」「共働きでもいい」、ここで書いているぐらいだから、直接本人にこんな話をする雰囲気がないってことよね。

正直付き合っている期間が短くても、「この人となら」と思えば話はとんとん進みますから、彼の場合、出世うんぬんはどうでもよくって、アナタと今のままの関係を続けたいだけなのよ。

アナタは彼のことが好きだと思うけど、彼は本当にアナタのことが好きなのか、ちょっと考えてみてもいいかもしれないわ。都合のいい関係にされている気がするのよ。

ただ**3年も「このままでいいや」という状態が続いてしまうと、易きに流れてしまう人もいるのは確か。**すぐにあきらめるのではなく、しっかりボールを

向き合うことも大切。

投げていきましょう。

振り回されないためには期待をしないことも大切だけど、向き合うことも大切。その違いは相手と関わった時間によるのよ。これが付き合いたての彼なら、期待しない方向でいいけれど、3年付き合っているアナタたちの場合は向き合うべき内容だと思うわ。

・平社員でも構わないこと
・共働きでもいいこと
・先に進まないようなら同棲をやめて、一旦距離をあけて考えてみたいこと

これらをちゃんとぶつけてみて。彼が易きに流れているだけなら、ちょっとお水を顔にかけないといけないわ。もしそもそもそんな気がなかったら、彼はアナタのことを大切に思っていないわ。そこから先はアナタの決断よ。

その違いは相手と関わった時間によるのよ。

アナタを不安にさせないことも

誠実さの一つ。

はぐらかして

踏み込ませないようにする相手や

考えるべきことを

考えようとしない相手なら、

アナタのほうから振り回しなさい。

それはワガママではなくて

正当な振り回しよ。

ケース
20

イケメンで調子のいい彼

最近交際し始めた彼はイケメンで、優しくていい人だと思っているのですが、**微妙に信用できません。**急に連絡がとれなくなったり、約束していたことが「あれそうだったっけ？」とぼかされてしまうのです。それを指摘するとご馳走に連れていってくれたりするのですが、**なんとなく誤魔化されている気がしてしまいます。**

（19歳、女性）

最初の段階で感じた違和感は、

Tomy流アンサー

付き合いたてはどうしても、気持ちばかり先走りがち。それにアナタが相手をイケメンと思っているようだから、コミュニケーションが充分とれていない可能性もあるわね。

彼のことはいまいち信用できないけれど、「好き」という感情があるわけだから、そこにギャップが生まれている状態。もしアナタが長くお付き合いをするつもりなら、アナタ自身、意識してクールダウンした状態をある程度作っておくほうがいいと思うわ。

その上で**彼の言動で気になることはちゃんと覚えておきましょう。最初の段階で感じた違和感は、後で大きな問題になることが多いのよ。**もし心配なら忘れずにメモしておいてもいいわ。そして**メモしたら、あとは何か彼のことで問題が起きるまでは何もせず置いておく。**

小さなことだけど、こうすることで、相手に振り回されず、アナタ自身を守ることができるわ。

後で大きな問題になることが多いのよ。

第3章

夫、妻に振り回されない

さて、第3章では夫婦関係で相手に振り回されない方法について考えてみましょう。夫婦ってよくよく考えてみると面白い関係でね、もともとは他人なのに家族っていう面があるのよ。直接の血のつながりはないから、家族の中で夫婦は他人といえば他人。なのに、一番濃厚な家族関係ともいえる。

恋人よりは関係性が深いし、結婚して戸籍ができ、家族になっているから期待や、不安、相手に振り回されることも多くなるのよね。夫婦は関係が濃厚だから、そう簡単には解消できない問題も多くなるわ。

だからこそ、付き合いたての恋人のときと違って距離感をとるテクニックも有効になる。それに基本的に冒頭で紹介したすべてのテクニックが使えると思っていいわ。

では各々のケースについて、早速見ていきましょう。

Case 21

ケース
21

全く家事をしない夫

夫が家事をしません。一応口では「手伝うよ」とは言うのですが、実際には仕事から帰ってくると「疲れた」とゴロゴロしています。

気持ちはわかるのですが、「やれることはやるよ」と気遣ってほしいのです。そう言ってもらえたら「大丈夫よ、疲れたでしょ」という気にもなれます。現実にはただゴロゴロしているだけの夫に怒りを抑えられないんです。（40歳、女性）

「自分の理想までを含めて話し合い、ルール化しなさい。

Tomy流アンサー

まずここは枠組み設定ね。なるべく具体的にやってほしいことを決めておく。そして**大切なことは「いつまでにやるか」をしっかり決めておくことよ。**たとえば「洗い物をする」と決めるのなら、「食後すぐに」と決めておかないとダメ。そうじゃないと「後でやるから」と言われて、結局自分がやったほうが早いってことになっちゃうかもしれない。ルール化するときは、期限も込みでルール化しておかないとダメよ。

あと、家でゴロゴロしているのを見るのがストレスの原因なら、距離感をとるテクニックも有効よ。ゴロゴロしているのを見ないで済むように、買い物に出かけるとか、買い物にいってもらうとか、**適当にすれ違うのも大切な方法よ。**

こういった些細な、でも積み重なると大事になることに関しては、枠組み設定と距離感をとるテクニックが最も有効なの。その上で付け加えるとしたら、次のようなことになるわね。

「自分の理想までを含めて話し合い、ルール化しなさい。具体的なルールがないと、人はいいように解釈しちゃうの」

アナタの「気遣いを見せてくれたら『でも大丈夫よ』」と言いたい気持ちって、すっごく素敵だと思うわよ。ご主人をきつく咎めたくはないのよね。それをそのままご主人に伝えたらどうかしら？

相手に対する期待っていうのは「○○して」と端的に伝えるよりも「○○だから～～してほしい」とその背景まで伝えたほうが相手に響きやすいのよ。

あとルールは細かく厳格に決めておきましょう。決めたことは書いて壁に貼っ

具体的なルールがないと、
人はいいように解釈しちゃうの」

ておく。そして、もしご主人がそれを守らなかったらどうするかも決めておく。洗濯物をたたまなかったら、翌日の朝ご飯はなし！　ぐらいでもいいと思うのよね。

ストレスってためておくと、爆発するわよ。だから動き出してみて！

Case 22

ケース
22

浮気癖のある夫

夫の浮気癖が直りません。夫はバーテンダーをしており、かなりモテるようです。彼とは結婚して長いので、夫が浮気したときは、すぐにわかってしまいます。浮気したから離婚したいとかそこまでは考えていませんが、できるなら夫に浮気癖を直してほしいんです。（46歳、女性）

「この人といるなら一生浮気と付き合っていく」というぐらいに

Tomy流アンサー

浮気癖っていうのは、相手が容認しているから癖になるのよね。でも浮気する、しないは夫婦関係を存続できるかどうかというレベルのことなので、しっかり枠組み設定をしておくしかないと思うわ。今のままだと「遊びなら許される」っていうルールになってしまっているわよ。

一般的にいわれることだけど、**浮気癖っていうのは直らないと考えたほうがいいと思うのよ。**生まれつきの性格で、浮気しない人はどんなに誘惑があってもしないし、浮気する人は相手から誘われなくても、自分から誘っちゃうのよ。

結局浮気する人は心の中で「時と場合によっては浮気もあり。悪いことじゃない」というスタンスの人なの。

だからアナタの場合**「この人といるなら一生浮気と付き合っていく」というぐらいに覚悟していたほうがいいわ。**それはかなり辛い覚悟になるでしょう。

とにかくこれからは、浮気している様子があったらすぐ問い詰める。もし本当にクロだったら何か買わせる。そのぐらいのルールを作ってしまったほうが、アナタのストレスも多少は減るんじゃないかしらね。

覚悟していたほうがいいわ。

浮気を繰り返す相手が、
二人で決めたルールを
受け入れられないのなら
別れなさい。ご主人が
「もう二度とやらない」と

言うのなら、そのときにどうするか考えるぐらいでいいかも。嫌なことがあっても別れなければ、それは許容したことになるのよ。

ケース
23

小言が止まらない妻

妻が小さなことで常に小言を言ってきます。片付けや私の癖、ちょっとした言動にまでいちいちネチネチ言ってくるのです。仕事から疲れて帰ってきてもこの調子なので、気持ちが全くやすらぎません。（39歳、男性）

「奥さんの小言には反論せず、一切無言になる」

Tomy流アンサー

これは、距離感をとるテクニックが一番有効だわ。近くにいるからこそ起こる問題なので、**上手にすれ違ってあげるほうがいい。**「時間減らし術」で自室にいるなどして接触時間を減らす。夫婦二人きりだと小言も増えるでしょうから、リビングで二人きりにならないようにして過ごす（きっと他の家族がいるとネチネチは多少は言いにくいでしょうから）。これは「いつもみんなで作戦」の応用ね。

そして自分のペースを作るテクニックの「スルーテクニック」を最大限に活用するのがいいわね。「スルーテクニック」にもいろいろあって、こういう小言のようなチマチマした攻撃には次のような方法がいいと思うわ。

「奥さんの小言には反論せず、一切無言になる」

小言に対していちいちアクションを起こしていると、それがさらに相手の小言を呼ぶのよね。こういうときは顔を合わせないようにするか、無言でスルーしていくのがいいと思うわ。

あとは頭の中で「壊れたスピーカーが鳴っている」というイメージに、奥さんの小言を転換して、スルーしちゃうのもアリね。とにかく流す。

無言という名の反論は結構強いのよ。

無言という名の反論は
結構強いのよ。

Case 24

ケース
24

教育方針が合わない妻

中学生の息子がいるのですが、妻と教育方針が合いません。**妻はひたすら勉強をさせようとするのですが、僕から見るとやや過剰に見えます。**時には好きなことをやって、感性を伸ばしてほしいと思うのです。しかし妻は大学受験まではできる限りスパルタでいきたいようです。あまり気にしないようにしたいところですが、**大切な息子の教育なので、やはり譲れません。**（48歳、男性）

お互いの「どうしても譲れないこと」を

Tomy流アンサー

これは振り回されるというよりは、夫婦間で教育方針が違うことによるストレスね。どちらも自分の言い分は正しいと思っているからなおさらよ。この場合はお互いの意見の違いを調整するしかない。

相手の言動に振り回されているわけじゃないから、基本的には冒頭のテクニックは使わなくていいわ。

奥さんもアナタもお子さんのことを大切に思えばこその教育方針だと思うから、難しい話し合いになるとは思うけど、やはりお互いによく話し合って夫婦としての教育方針を固めるということに尽きると思うわ。

その際にもコツがあって、**お互いの「どうしても譲れないこと」をミニマム**

に紙に書き出すこと。そして、書いたことだけは実行できるようにすることよ。

あれこれ言い出すとキリがなくなるので、どうしても譲れないところを話し合う。そうすることで、話し合いが脇道にそれずに、本質的な議論ができるから結構、お互いいい感じになっていくと思うわ。

ミニマムに紙に書き出すこと。そして、書いたことだけは実行できるようにすることよ。

ケース
25

感情的すぎる妻

妻がすぐ感情的になるので困っています。

さっきまで機嫌が良かったと思うと、急に怒り出したりイライラし始めたりします。

そのせいでいつも妻の顔色をうかがうようになってしまいました。

妻はあまり自覚がないようで、「あなたの一言が原因」などと言ってきます。どうしたらいいのでしょうか。（38歳、男性）

感情的な人が感情的になっているときに、

Tomy流アンサー

基本的には、いくつかのテクニックの組み合わせ技でいくといいでしょう。まず枠組み設定。このテクニックは、奥さんに感情的になりすぎている自覚を持たせることができたら、上手く使うことができるわ。

奥さんが感情的になって大声をあげたりした後、ちょっと落ち着いてから「今の怒り方はちょっと尋常じゃないんじゃない？　僕が悪かったとしてもさ」とすかさず指摘してみるのよ。「ああ、確かに」という反応が得られたら枠組み設定のチャンスね。

「ああいう切れ方しなくても、僕はちゃんと話を聞くから。それでも今度もし大声あげたら、自分の部屋いくね」という感じにソフト目に枠組み設定するのもいいでしょう。

「そっか」「そう思うんだ」というように聞いて折れておく。

一番活用できるのは、距離感をとるテクニックだと思います。枠組みも作らず、一緒の部屋にいる時間を減らす方法ね。あまりひどければリアルディスタンスをとって、家庭内別居に近い状態にしてもいいかもしれないわ。また「すれ違い戦法」（15ページ）でタイミングをずらして生活したり、**逆に二人だけじゃなく親や祖父母、子どもも一緒にみんなで過ごすようにして「感情的になりにくい環境」を作ってあげることも大切だと思うわ。**これは「いつもみんなで作戦」の応用ね。

あとは、相手の感情に負けないよう、自分のペースを作るテクニックも大切になってきます。

話を誤魔化してずらす「誤魔化し戦法」、相手の言葉をスルーする「スルーテクニック」も使えるわ。だけど、これらは上手くやらないと「火に油を注ぐ結果」になるので、上手くいかなかったらあっさりやめましょう。

それから奥さんのことばかり考えていると、必然的に顔色をうかがうことになるので、交流範囲を増やしたり、趣味に没頭したり、「分散化法」でストレスを軽減していくこともいいと思います。

感情的な人が感情的になっているときに、言い返してはいけないというのが基本。ヒートアップしてお互い感情的になるのがオチよ。**相手が何か言ってきても「そっか」「そう思うんだ」というように聞いて折れておく。**悪いと思っていないのなら、「自分が悪かった」と言う必要はないわ。肯定も否定もせず聞いておく。

ただあまりにも感情の起伏が激しい場合は、精神科受診をすすめたほうがいい場合もあります。その場合は「感情が不安定だから受診したほうがいい」というような言い方ではなく、「感情の起伏が激しくて、あなたも辛いんじゃないかな？　もし辛いなら一回受診してみる？」という言い方がいいと思うわ。

肯定も否定もせず聞いておく。

感情的な人への対処法はね、
相手の感情が収まるまで
折れておくこと。
そして落ち着いてから、
相手の納得いかないい点について

Tomy's Voice

聞くこと。こちらがビクビクすると、相手の感情の波って余計大きくなるのよね。それと感情のゆり戻しがあることも意識して。

ケース
26

金銭感覚が合わない妻

妻は無駄遣いが多く、金銭感覚が合いません。普通は、同じようなものならより安いものを買うと思うのですが、**「安く売っているのは安物みたいで嫌だ」とわざわざ高いほうを買おうとします。**私的には買い物は合理的に最小限にしてほしいと思うのですが、それを伝えると「ケチな人は嫌いだ」と怒り出す始末です。（52歳、男性）

家計の外枠、使える金額の上限を決める（変える）の。

Tomy流アンサー

　これはお金の問題なので枠組み設定が一番有効なテクニックになってくるわね。つまり、**「誰の財布から出たお金かはっきりさせる」ってことよ。**

　お金の価値観というのは、とっても繊細な問題よね。だからこそちゃんとすり合わせなきゃいけないと思うわ。ただアナタのお話を聞いていると、あまり奥さんは価値観をすり合わせる気はなさそうね。

　こういう場合はね、**外枠から変えていくのがいいと思います。具体的に言うと、家計の外枠、使える金額の上限を決める（変える）の。**もし奥さんがばりばり仕事をしていて稼いでいるなら、無駄使いしていても多少は目をつぶってあげてほしいわ。それでも目に余るようなら、奥さんの収入から家計を引いた残りは、自由に使ってもいいってことにするの。

まず使っているお金が
誰の財布から出ているのかを
はっきりさせて。アナタから
奥さんにお小遣いを渡し、
物を買うときはその範囲で

やりくりしてもらう。足りないと言われても一切応じない。夫婦で家計の外枠だけ決めたらあとは細かい使い方までは見ないようにするの。

ケース
27

仕事優先の夫

夫が仕事を優先しすぎるのが気になります。この間も息子の誕生祝いで早く帰ってくる予定だったのですが、仕事が急に入ってしまいました。仕事は大切ですが、どうも本人に「家族の用事は仕事が空いたときに」という意識が見え隠れしているのが気になります。

（31歳、女性）

「家族との時間は癒しである」と感じてもらうこと。

Tomy流アンサー

仕事熱心なことは素敵だけど、あまりバランスが悪いのも考えものよね。確かに家族のために働いているんだけど、それで家族との時間がなくなってしまったら意味がないわよね。きっと**こういう人は単純に忙しいのもあるんだけど、時間のやりくりがあまり上手じゃないのよ。**

ここで使うテクニックとしてはやはり枠組み設定ね。ただ、枠組み設定というのは基本的に、自分の都合ばかり優先してしまう人に用いるものなのよ。ご主人は仕事を優先している時点で「自分の都合」ともいえるけど、家族のために働いているわけだから、そこには厳しさより優しさが必要だわ。

たとえば、「この日早く帰ってきたら、パパにプレゼントを贈る」とか、そう

不満をぶつけたり、あるいは直接的に言わなくても、

いう形での枠組み設定はいかがかしら。
また、「イメイジング法」も有効。ご主人の今日の仕事であったことなどを聞いて、辛かったことなどを「イメイジング」して共感する。そうすればお互いの絆も深まるし、絆が深まると家族の時間を大切にしたいと思えるんじゃないかしら？

また次のようなことも忘れないで。

実は**仕事優先の人にとって、家族との時間を作るのは「おまけの仕事」「義務」と考えているフシがあるのよ。**疲れて帰ってきて、さらに自分の労力をかけて家族サービスしているという発想なのね。

そういう人に有効なのは「家族との時間は癒しである」と感じてもらうこと。

こういう人に、**不満をぶつけたり、あるいは直接的に言わなくても、におわせたりしてしまうと、余計に家族から遠ざかる傾向にあるの。**だから仕事で疲れているご主人を、逆に癒すようなイベントをお子さんと作ってみたらどうかしらね?

マイナスの感情をプラスに置き換えてから、相手と話すことが大事よ。

におわせたりしてしまうと、余計に家族から遠ざかる傾向にあるの。

ケース
28

親戚付き合いをしたがる夫

夫は親戚付き合いをとても優先する人です。正月やお盆、家族のイベントがあるときは、なるべく大勢で実家に集まるのが理想のようです。一方で私は核家族だったため、あまり親戚で集まるということはやっていません。なので、**夫に付き合わされてあちこちに顔を出すと疲れてしまいます。**

（40歳、女性）

忘れてはいけないのは、
「逃げにくいけど、

Tomy流アンサー

こういうケースで一番ストレスなのは、「逃げにくい状況」なのよね。付き合いなので、疲れていても、内心嫌でも断りづらい。断りづらいから、余計ストレスになって振り回される。

こんな場合に用いるテクニックは一にも二にも距離感をとるテクニックよ。**あと忘れてはいけないのは、「逃げにくいけど、逃げちゃいけないわけじゃない」ということ。**逃げようと思えば逃げられるのよ。アナタがノーと言えばね。

親戚のところに行っても滞在時間を減らす、「時間減らし術」。親戚の家にいても買い物に行くとか、子どもの面倒を見るとか理由をつけて談笑やおもてなしの時間を減らすなどの方法もあるわ。

逃げちゃいけないわけじゃない」ということ。

他にもこのお悩みを解決する方法はね、**自分で予定を入れて親戚付き合いをコントロールすることよ。**

親戚付き合いがありそうな正月やお盆は、友人と会うとか、あなたのご実家に帰るとか、とにかくイベントを飛び飛びで入れてしまったらどうかしらね？　もちろんそんなことをしなくても、「体調がすぐれないので、一日だけ顔出させてください」と、ご主人の親戚に自分の体調を理由にして断れるならそれでいいのよ。

アテクシも実家のほうは大家族で、大勢親戚は集まるけれど、みんながみんな、そうじゃないわ。滅多に顔を出さない人もいれば、いつも顔を出す人もいる。

あまり顔を出さないようにしていれば、「たまにしか顔出さないお嫁さん」として周りに受け入れてもらえるようになるからいいと思います。その代わり顔**を出している間は積極的にコミュニケーションをとって、ご主人の顔を立ててあげればいいと思うのよ。**

親戚付き合いは決して義務ではないの。だから**義務以外、やりたくないことはやらなくていいんです。**

義務以外、やりたくないことはやらなくていいんです。

ケース
29

話し合いに応じない夫

夫婦喧嘩が絶えません。それはある程度仕方のないことだと思うのですが、問題はその後です。私としては毎回喧嘩をしたくないので、今回なぜ喧嘩になったのか、**喧嘩を避けるにはどうしたらいいのか、ちゃんと話し合いたいのです。**しかし夫は大声をあげて怒鳴るばかりで、その後話し合いをしようとしても面倒くさそうにどこかに行ってしまいます。（55歳、女性）

耳から情報を入れるより

Tomy流アンサー

ポイントとなる点は、話し合いができないことだけじゃないのよ。まず喧嘩が絶えないということ。考え方が相容れないときは喧嘩になってもしょうがないけれど、本当に必要な喧嘩だけに絞ることが大切だと思うわ。

だから、話し合いをしてもらうように工夫することも必要だけど、**喧嘩の頻度を減らすことも大切。そのためにはやはり距離をとる。距離が近すぎると無用な喧嘩も増えてしまうから。**そして、喧嘩が増えてくると短気な人はいちいち話し合うこと自体がストレスになってしまうのよね。

夫婦一緒に仲良くが理想だけど、一番大切なのは「長い時間快適にいられること」。だから二人でいる時間を減らして快適に過ごしてもいい。そこまでやっても残る問題について話し合いしましょ。

話し合いができず、切れやすい人ってそもそも、じっくり話し合うことが苦手なのよ。**話し合うことで自分が責められているような感じがして、またイライラしてしまうんだと思います。**頭ではわかっていても、話し合おうとすると同じことを繰り返してしまうのね。

こういう人の場合は、**聴覚（耳）から情報を入れるより視覚（目）から情報を入れてもらうようにしたほうが冷静に考えてくれることもあるわ。**

メールで「こういう点について話し合いたいです。また同じ喧嘩をしたくないから」などと断りを入れて、箇条書きで相談したいことについてわかりやすく書いてみたらどうかしら？

長い時間生活してきた夫婦でも、話し合いができないという悩みを抱える人は、世の中本当に多いわね。**話し合いができない人に長文を書くと面倒くさがって読まない可能性も高いの。箇条書きでもいいし、短く端的に、アナタの伝えたいことを書いてみて。**

目から情報を入れてもらうようにしたほうが冷静に考えてくれることもあるわ。

ケース
30

体型をからかう夫

一緒になってもう10年たつ夫婦です。私は出産後だいぶ体重が増えてしまい、なかなかやせることができません。夫はもともと太りにくい体質なので、結婚した頃からスタイルはあまり変わっていません。そんな**夫が何かと私の見た目について言ってくるのが気になります。**夫としてはコミュニケーションのつもりらしく、へらへらしているのですが、私はちっとも楽しくありません。（42歳、女性）

「嫌なアクションには無言で反応するの」

Tomy流アンサー

それはイライラしちゃうわね。旦那さんはいじりのつもりだけど、アナタにとっては単純に不愉快なのよね。こういう場合は、やはり枠組み設定でいきましょう。こういう場合に効果的な方法は、**「嫌なアクションには無言で反応するの」**。

旦那さんが体型のことでいじってきたら、無言でスルーする。コミュニケーションといっているぐらいだから、スルーされ続けると、「何で反応しないんだよ」と言ってくると思うのよ。そのときに「楽しくないから」と一言だけ答えたらいいと思うわ。旦那さんにしたってアナタと気まずくなりたいわけじゃないから、体型いじりもいずれしなくなるんじゃないかしら。

無言攻撃、上手くいく可能性は高いと思います。

無言というのは
最大の反論なのよ。
何かアクションを起こしたときに
スルーされると、相手は結構
ダメージを受けます。

Tomy's Voice

だから安易には使うべきではない
けれど、自分はそうされるのが
嫌だと言っているのに、
相手に伝わらないときは
無言になっていいと思うわ。

ケース
31

働くのを拒否する妻

最近会社の業績が芳しくなく、私の給料も抑えられるようになってきました。一方で子どもの教育費がだいぶかかり、今のままのライフスタイルを継続しようと思うと、妻にも働いてもらわないと厳しいと思っています。しかし、**妻は共働きはあまりしたくないと言っていま す。**ちゃんと話し合おうとしても微妙にはぐらかされてしまいます。（44歳、男性）

相手の負担になることを提案するときは、

Tomy流アンサー

この場合は、奥さんのほうがあなたに振り回されたくないと思って、テクニックを使われちゃっているわね。「誤魔化し戦法」をアナタに対して使っているのよ。こういう場合は、枠組み設定が一番有効よ。

今の収入と支出を見せて、ある程度のラインを越えたら働いてもらう、それができなかったら、ライフスタイルのここを削る、とアナタが主役になって枠組み設定の話をすべきだと思います。

相手の負担になることを提案するときは、出口戦略を伝えるのよ。これがすごく大事。

負担になることを提案されると、人は不安を感じることが多いのよ。「一旦要求に応じたらどんどん要求がエスカレートするのではないか」「大変な状況が延々と続くのではないか」という不安ね。

だから**提案するときは「〇〇するまでの間」「〇時間でいい」といったように、これ以上は要求しませんというラインを明確に伝えるのがいいわ。**

出口戦略を伝えるのよ。これがすごく大事。

第4章

会社の人間関係に振り回されない

人生の中で長い時間を過ごす人も多い、会社の人間関係について、第4章では考えてみましょう。会社にいる時間は1日に8時間。場合によってはそれ以上。8時間は寝ているとして、目が覚めている間の半分以上を会社で過ごすことになるのよね。しかも会社のルールがあるわけですから、いくら振り回されたくなくても、会社の方針や上司の指示に逆らうわけにはいかない。

また収入源にもなり、生活の基盤だから、会社での人間関係からは逃れられないと思ってしまいがち。でも違うのよ。会社の人間関係は会社だけの限定されたもの。会社を離れてしまえば無関係なの。

職場にいる間、会社の人と友達のように仲良くする必要はないわ。職場での人間関係は「仕事がやりやすい」かどうかが何より大切なのよ。だから振り回される前に「所詮限定的な人間関係なんだ」という自覚を持つことが大切。これだけでもだいぶ変わるはずです。

Case 32

ケース
32

気まぐれで指示が変わる上司

最近直属の上司が変わりました。以前の上司は落ち着いた人柄で仕事もしやすかったのですが、今回の上司と上手くいかなくて困っています。最大の原因は、**彼女が気まぐれで、指示をころころ変えてくることです。**また気分が変わるだろうからと取り組むのを待っていると、「あの仕事まだなの？　遅くない？」と言われてしまうので本当に気持ちがめげます。（28歳、女性）

気まぐれな上司から言われた仕事は、

Tomy流アンサー

気まぐれな上司っているわよね。友人や家族なら取り合わなければいいわけだけど、上司だとそうはいかないわね。こういう場合、これまでのような枠組み設定や距離感をとるというテクニックは使えないです。また自分のペースを作るテクニックにも限界がある。

ここは考え方を変えて自分のストレスを軽減していくしかないわ。とはいえ、職場にいる間は分散化しても仕方がないし、上司の気持ちをイメイジングしても「気まぐれだよな」としかいえない。

大事なのは気まぐれな上司から言われた仕事は、自分の仕事としてとらえない。簡単に言えば「あきらめる」ってことです。

アナタの仕事は仕事全体を進めることじゃないの。上司に言われたことをやることなの。だから仕事全体がひっくり返されたとしても、アナタは気にしなくていいのよ。

単に言われたことを進めて、変えられたら変えるだけ。仕事の進行が自分の責任だと思うとストレスになってしまうから、気にしなくていいの。モチベーションは下がるかもしれないけど、組織の一員である以上仕方のないことだわ。

ただ**「自分が上司の指示に従いました」という証拠は残していかないといけないわ。**気まぐれな上司は、気まぐれに責任逃れしちゃう可能性もあるから。

自分の仕事としてとらえない。

指示をころころ変える上司って、

わかっていて指示を変えるよりも

「自分が何を言ったのか

覚えていない」

可能性が高いのよ。

だから自分の身を守る用意だけは

して、あとは「はいはい」と従う。

それでいいわ。

「あきらめる」って考え方、

結構大切なのよ。

Case 33

ケース
33

全否定する上司

私の上司は私のやることなすこと、全部否定してきます。**人格も否定してくるので、毎日、その上司の顔を見るのも辛いです。**一体どうやっていけばいいのでしょう。

（33歳、男性）

人格否定はアナタへの評価じゃない。

Ｔｏｍｙ流アンサー

人格否定してくる場合は、基本的にはパワハラになるので、あまりひどいときは記録をとって後で会社に相談できるようにしておくこと。

今回はそこまでいかないのかもしれないけど、否定的な上司についての対処法、考え方について考えてみましょう。これも会社のことなので、使えるテクニックは限られているわ。**一番大切なのは自分のペースを作るテクニック。中でも「スルーテクニック」が大切よ。**

人格否定は業務の指示じゃないから、スルーしても大丈夫。右から入れた言葉は左から流すぐらいでいいでしょう。返事は「はい、はい」と言っておけばいいのよ。**人格否定はアナタへの評価じゃない。ただのハラスメント。真に受ける価値はない。**

ちゃんと評価をする人は、人格否定ではなくて、いい点、悪い点を具体的な行動で冷静に示してくれるし、解決の方向性も伝えてくれるはずよ。なぜなら、上司が部下を評価するのは、業務の改善のためであってアナタを傷つける為じゃないから。

あと、**「なんでも否定してくる人は、否定するのが通常モードよ」ってことを理解しておくのね。**

まあ、なんでも否定したい人っているのよね。最初から「否定してくるだろう」って思ってへらへらしているのが一番いいと思うわ。むしろこういう人がほめてきたときのほうが怖いわ。何か企んでいるのかもしれないし。

ただ、否定してくるといっても、今後明らかに仕事の妨害やパワハラに感じるようなものであれば、ちゃんと記録にとって、相談すべき人に相談すべきね。程度によっては厳密に対応すべきことよ。

ただのハラスメント。
真に受ける価値はない。

ケース
34

仕事を押し付ける上司

私の上司がいつも仕事を押し付けてきて困っています。**自分の仕事が終わるぞと思っている矢先に「これもやっといて」とさらっと言われてしまいます。**本当は上司がやらなきゃいけない仕事のはずなんですが……。上司に「それは私の仕事じゃないですけど」なんて言えません。どうしたらいいのでしょう。（29歳、男性）

「自分の本来の仕事を優先して、

Tomy流アンサー

こういう上司いるわよね。基本的に、仕事の場で枠組み設定ってやりにくいんだけど、こういう場合は枠組み設定してもいいわ。なぜなら、他人の仕事をやっていたら、自分の業務が進まない。そして、それは会社に迷惑をかけることになるという大義名分が成り立つからよ。

基本スタンスとしては、**「自分の本来の仕事を優先して、他人の仕事はゆっくりやる」**。これよ。

自分の仕事を優先することを忘れずに。相手が上司だから断りにくいとは思うけど、本来の業務を優先する分には問題ないでしょう。**頼まれたときには「この仕事が終わった後でやりますね」と言っておけば、あんまり突っ込んでこな**

いんじゃないかしらね。「それは私の仕事ではないのでできません」といったような、タイトな枠組み設定はなかなか難しいから、こういうソフトな枠組み設定ならやりやすいんじゃないかしら。

頼んだ仕事がなかなか進まなければ、今後違う人に頼んでくれるかもしれないし。直接断らないにせよ、ソフトに「押し付けられて困るなあ」という雰囲気を出すことは効果があると思うわ。

他人の仕事はゆっくりやる」

Case 35

ケース
35

そりが合わない上司

今年赴任してきた上司となんとなくそりが合わず、疲れています。上司は体育会系で「一丸となってがんばろう」という人なのですが、**私は淡々とマイペースに仕事がしたいのです。**そういう雰囲気を出すと「冷たいんじゃないのか」というようなことを言われます。（30歳、女性）

自分が主役術を用いるの。

Tomy流アンサー

こういう場合は、自分のペースを作るテクニックがいいと思うわ。**自分のやり方でいいと思うから、「自分が主役術」を用いるの。**あとは上司から「冷たい」と言われようがスルーして、聞き流しておく。

自分のストレスを軽減するために、上司の立場もイメイジングできるといいわね。彼も赴任してきたばかりで、なんとか新しい環境でやっていこうと必死なのよ。今まで彼のいた職場文化の影響も受けているでしょうしね。良かれと思っていることが、アナタに対しては滑っているだけなんじゃないかしら。

あとは、基本的にはこう考えてもらうとよりストレスが少なくて済むと思うわ。**「最初はそりが合わなくて当たり前。ずっと一緒にいるうちに、なんとなく馴染んでくるもの」**

職場の空気感は

そこにいるメンバー全員で

作っていくもの。

あんまり気にせずに、

挨拶と笑顔だけは心がけて

自分のペースで仕事をすればいい。

もともと他人同士なんだから、

仕事ができれば

そりなんか合わなくてもいいの。

ケース
36

人の悪口ばかり言う同僚

同僚が口を開けば他人の悪口を言う人で困っています。私も「そんなこと言わないで」とは強く言えず、とはいえ話を聞いていると自分も悪口に加わっているような気がして罪悪感に駆られてしまいます。話に加わらないと、自分も悪口を言われるのではないかという恐怖もあり、その場を離れづらいです。

（44歳、女性）

悪口を言う人って、気が付いてないんだけど、言っている内容自体が

Tomy流アンサー

この場合、相手が上司ではなく同僚なので話を聞く義務はないし、さらに愚痴だから聞く必要もないのよね。だからしっかり枠組み設定をやってしまえばいいと思うわよ。「ちょっとそういう話は聞きたくないかな」と言っちゃってもいいぐらい。

あとは同じ職場内でも極力距離をとる。無理に愚痴ってきても適当にスルーして自分のペースを守っておく。使えるテクニックはすべて使ってちょうだい。

もしここまでやると嫌われるんじゃないか、自分も悪口を言われるんじゃないかと思うかもしれないけど、**嫌われてもいいし、悪口言わせておいてもいい**

わよ。

悪口を言う人の話は聞かなくてよし。嫌われてもよし。周りはよくわかっているわ。

悪口を言う人って、気が付いてないんだけど、言っている内容自体が「自分の悪口を言っている」ようなものなのよね。面白いわ。

それにこういう人から離れずにいると、いずれアナタがいないときに、アナタの悪口も言い出すようになるはずなの。結局悪口が言えれば材料はなんでもいいのよ。だからその場にいない人の悪口を言うわけ。

結局**こういう人には近づかないのが一番なのよ。**

「自分の悪口を言っている」ようなものなのよね。面白いわ。

最初は

仲間に入ろうとしない

アナタの悪口を

言うかもしれないけど、

ずっと関わらないようにしていけば

だんだん悪口は減るはずよ。

だってあまり関わりのない人の

悪口なんて、

言っても楽しくないからよ。

ケース
37

優秀で評価の高い同僚

同期がとても優秀です。上司の評価も高く、次々と新しい仕事を任されているみたいです。一方で僕は全く仕事が覚えられず、**比較されているようでとても辛いです。**もうすぐ同期は昇進するのではないかという噂も流れていて……、嫉妬している自分も嫌なのです。どうしたらいいでしょう。（30歳、男性）

誰かと比較しそうになったら、

Tomy流アンサー

このケースは、優秀な同僚が直接アナタを振り回しているわけではないわ。だから、枠組み設定や距離感をとるテクニックはちょっと使えないわね。自分の気持ちのもっていき方をコントロールするテクニックを、主に用いることになるわ。

具体的に言うと、自分のペースを作るテクニックの中の、「自己評価向上計画」ね。

嫉妬って実力の問題じゃなくて、考え方の方向性の問題なのよね。同僚がどんなに優秀でも、露骨に比較する嫌な上司がいても嫉妬しない人は嫉妬しない。一方で、何も比較されていないし、場合によっては優秀だと思われていても、嫉妬しちゃう人は嫉妬しちゃうの。

結局、自分の軸で物事を考えられるかどうかという問題なの。そもそも職場で同じ環境にいたとしても、みんな生まれも育ちも目標も何もかも違うんだから、土俵が違うものを同じ視点で考えるから辛くなるのよね。

自分軸で物事を考えるのは、そんなに簡単じゃないわ。だけど、少しずつ思考訓練をすることで変えていけるわ。**そうね、たとえば誰かと比較しそうになったら、過去の自分と今の自分を比較して考えるようにしてみたらどうかしら。**

同じ職場の同僚でも、土俵はみんなそれぞれ。他人と比較して、嫉妬に苛まれそうなときは、過去の自分と比較してみて。**過去の自分より少しでも成長しているのなら、それでいいのよ。**同じ土俵にいる自分と比較するなら、嫉妬なんてしないはずよ。

過去の自分と今の自分を比較して考えるようにしてみたらどうかしら。

Case 38

ケース
38

突然無視を始めた同僚

同僚が急に言葉を交わしてくれなくなりました。今までわりと仲が良かったつもりなのですが、原因がわからずストレスです。**挨拶をしても返事がありません。**一体どうしたらいいのでしょう。（45歳、女性）

何もしゃべらない人のことなんかわからないし、

Ｔｏｍｙ流アンサー

急に言葉を交わさないというのは、一種の攻撃なのよ。むしろ普通の攻撃よりきつい攻撃だと考えていいわ。しかも言葉を交わさないというのは、「自分が悪いのかな」と思わせる効果もあるのよね。

でもね、文句があるならそれを言えばいいのよ。言わないのは相手が悪いのよ。というわけで振り回されない方法も、相手が攻撃してくる場合と同様に考えればいいわ。

具体的にいうとまず、枠組み設定ね。**「アナタが話してくれないとこっちも困るので、言ってくれるまでは私もアナタと話せないわ」と言っておきましょう。きっとそれも無視されるかもしれないけど、それはそれでいいわ。**

そして、職場でも距離感をとるテクニックもある程度有効よ。二人きりにならず、なんとなくみんなでいるときに会話の場を作るようにする。そうすれば不自然な緊張感もいくばくか和らぐと思うからね。

そして、自分のペースを作るテクニックも大切よ。「スルーテクニック」でこっちも相手のことをスルーする。「話すに話せない」じゃなくて「相手が話さないから自分も話さない」のよ。

自分のストレスを軽減するテクニックも有効なんだけど、ここで大切なのは**相手の気持ちになって「なぜ話してくれないんだろう」なんて考え始めたら自分を追い込んでドツボにはまっちゃうからね。**「イメイジング法」を使わないこと。「分散化法」を使って、相手の存在価値を分散化させるのはOKよ。

何もしゃべらない人のことなんかわからないし、わかろうと努力する必要もないわよ。こっちは超能力者じゃないんだから。こういう人は「察して」ちゃんなのよ。でも社会人同士の関係で、それは本来許されないこと。沈黙を貫け

わかろうと努力する
必要もないわよ。

ば周りが顔色をうかがってくれるから、「何も言わない」というやり方が染みついてしまっているのよね。

「何も言われなかったということは存在しないこと」。それぐらいに思って接してもいいと思うわよ。そうすれば相手が不自由を感じて、少し話すようになるでしょう。沈黙を貫くのって実は相手もエネルギー使っているのよね。

ただ、相手の行動にも問題があるけど、挨拶と社交辞令的な笑顔ぐらいはやっておくの。相手からぜんぜん返ってこなくてもいいから。言葉を交わさない人は放置でいいけど、自分はマナーを守るほうが、のちのち有利な立場になるわ。

はたから見たら、

アアタが挨拶しているのに

相手が無視していたら、

明白に相手に問題があるとわかる。

アナタも「どうせ返事こないから」と

無視し始めたら、

周りからは「お互いさま」と

思われちゃうから

逆に不利よ。

ケース
39

すぐに泣き出す部下

この春から入ってきた新入社員に研修をしています。その中の一人の新入社員が、**ちょっと注意や指導をするとその場で泣き出してしまい困っています。**怒鳴るなどパワハラ的なことは一切していません。どう対応していいのかわかりません。（37歳、男性）

「泣くということには、あまりメリットがない」

Tomy流アンサー

このケースもアナタが上司なので枠組み設定がとても大切よ。だけど、部下が泣き出して話が進まないから困っているのよね。こういうときは「話しても仕方のない状態では話をしない」と、きっぱり態度で示すことが大切。具体的には、「泣き出す人には、泣き終わるまで対応しない」こと。

都合が悪くなると泣き出す人って、**「今まで泣き出せばなんとかなっていた」からなのよね。人間って行動パターンを学習しちゃうから、あるやり方で切り抜けられるようになったら、その行動が染みついてしまうものなのよ。**一番いけないのは泣き出したことに対しておどおどして、顔色をうかがってしまうこと。

だから**泣き終わるまでは対応しない。それもきっぱりと。**

職務上問題があるのなら、別の部屋で泣き終わるまで過ごしてもらう。そのまま泣いてばかりなら、帰ってもらうことも考える。というように、**「泣くということには、あまりメリットがない」というメッセージを送るのが一番いいと思うわ。**

というメッセージを送るのが
一番いいと思うわ。

Case 40

ケース
40

同僚とつるんで指示に従わない部下

ある部下が彼女の同僚たちの中のボス的な存在で、**気に入らないことがあると周りの同僚を巻き込んで私の指示を無視してきます。**非常に働きづらく困っています。どうしたらいいのでしょうか。（53歳、男性）

「周りを巻き込む人には、

Tomy流アンサー

これはいくつかのテクニックを用いる必要があるわ。まず定番の枠組み設定ね。**「アナタのこういう言動は業務上問題があります」と具体的に指摘していくこと。もし改善されないようならば、しっかり雇用上の対応をしなければいけないことなどを伝えていくことが大切よ。**また、それを行うためにはしっかり問題のある言動の証拠をつかんでおくことね。

あとはボスに従う周りの人物に対しても一人ずつ断固とした対応をしておくことも大切。本人だけでなく外堀も埋めていくということね。

そして自分のペースを作っていくことも大事よ。本当のボス（上司）はアナタなんですから「部下を怒らせたらどうなるんだろう」などと弱気に考えちゃダメよ。こういう人はアナタが弱気になるように仕向けてくるけど、全く聞き入れず必要なことをやりなさい。「自分が主役術」をしっかり用いてね。

そして、一番強力なテクニックは次のテクニックよ。**「周りを巻き込む人には、その人の環境を変えること」**。なぜならその人の性格だけでなく、その人が増長するようになった環境も原因になっているから。だから構成メンバーを変えたり、役割を変えたりして、今の人間関係をバラバラにすることが一番いい方法なの。

とはいえ、すぐに変えるのは難しいはず。まずは彼女がボスになっているグループの一人一人と、彼女の上司であるアナタが関係性を作っていくことも有効よ。**人間性というのは、環境とペアなのよ。**違う環境になったとたんに、彼女も良い部下になるかもしれないし、これまで良い部下だったのに、環境が変わったとたん扱いづらい人間になることもあるのよね。

その人の環境を変えること」

ケース
41

すぐに辞めたいと言う部下

同じグループの部下が何かにつけ「〇〇ならば辞めたいです」と言ってきます。

こっちもなんとかなだめながらやっていますが、いい加減疲れてきました。一体どうやって対応していくのがいいでしょうか。（40歳、女性）

居心地のよい環境が作りたいから、

Tomy流アンサー

これは典型的な振り回し手段なのよね。**「〇〇してくれないなら、××します」というセリフ。これを口にする人は基本的に全く相手にしてはいけないし、一切の妥協をしてもいけないわ。**

もし、それをやってしまうと「こういえば、思う通りになる」と相手が悪い学習をしてしまって、必ずエスカレートするのよ。いきなり論外と切るのもいいし、社交辞令として一回だけなだめてもいいわ。でも、心の中では「そうしたいのなら、お好きにどうぞ」と思っておくことが大切なのよ。これも枠組み設定というテクニックがメインになります。

また、次のことを意識しておくとより楽になると思うわ。

「『〇〇したくない』という人は、アナタをコントロールしたいだけであって

それがやりたいわけじゃないのよ」

本当に辞めたい人って辞めたいって言わないのよ。辞めればいいだけの話だから。むしろ波風立てたくないから言わないぐらいよね。

わざわざ言う人は今のところ辞める気は全くない人よ。**ただ居心地のよい環境が作りたいから、アナタにそうやってアピールしているだけ。**これを安易に聞き入れるとエスカレートして、お互いやりづらくなるからそこは安易に応じちゃダメよ。

ただ何らかの形で不満を持っているのは確かだから、話を聞いたりするぐらいはしたほうがいいかもね。いつかは辞めるかもしれないけど、今じゃないわよ。こういう相手を振り回して自分の要求を通そうという行為は精神科では「操作」っていうの。操作への一番良い対策方法は、全く応じないことなのよ。

アナタにそうやって
アピールしているだけ。

第5章

友人に振り回されない

第5章では、友人にいかに振り回されないようにするかということを考えていきたいと思います。友人は基本的にお互いが好んで作る関係。そして、家族ではないので何かにしばられている関係ではないと思います。だから、基本的には「枠組み設定」よりは距離感を調整していく対策が中心になっていくと思うわ。

それに友人って人によって定義は違うし、関係性も様々なのよね。もしアナタが友人に振り回されているとしたら、まずは「友人だからこうあるべきよ」と考えるのではなく、相手と自分との関係性をよく考えて、今後どのような関係を作っていきたいのかを踏まえた上で、振り回されないようにする対策を考えていきましょう。

Case 42

ケース
42

マウンティングしてくる友人

大学生時代からの友人がいます。就職後は離れていたのですが、インスタを通じてまた付き合いが始まりました。彼女は意図的なのかそうではないのか、よくマウンティングのような言動をします。あまり気にしていなかったのですが、「え、それアタシへのあてつけ？」と感じるようになりました。

（25歳、女性）

相手のことを悪く思う前に

Tomy流アンサー

まず彼女とアナタの関係性について考えてみましょう。彼女は確かに古くからの友人かもしれないけど、しばらく連絡は途絶えていた。しかも、向こうから連絡が来たというよりはSNSを通じてまた親しくなった。

そう考えるとまだ付き合いは浅いし、これから深くなっていくこともあり得るけど、**また疎遠になる可能性も充分にあると考えたほうがいいでしょう。**

これぐらいの関係では枠組み設定はあまり意味がないのよね。枠組み設定というのは、ある程度関係が密着しているときに使うものだから。この関係の中で、「またこういう言動をしてきたら、もう連絡とらないよ」なんて言ったら「はい、さようなら」となっちゃうでしょ。

というわけで、基本的には距離感をとるテクニックがメインになってくるわね。マウンティングしてくる友人とは距離をとりましょ。

相手がマウンティングしているのか、あるいはアナタがちょっと考えすぎなのか、実際にはわからないわ。でも、アナタがもやっと感じたのは確かなのよね。こうやって感情が揺さぶられるのはちょっと距離が近すぎるからなのよ。だから会う頻度を減らすなどして、程よく距離をとってあげるといいかもしれないわ。現に親しくなってから言動が気になってきたでしょ。**相手のことを悪く思う前に適切な距離感が大事よ。**

そもそも冷静に考えたら、マウントをとってくる人ってそもそも友人なの？って思わなくもないわ。アテクシ。

あと使えるテクニックとしては、自分のペースを作るテクニックもいいわね。「自分が主役術」で、彼女と話すときは自分がリードをとり（マウンティングの

適切な距離感が大事よ。

話題にさせない）、マウンティング的話題は「誤魔化し戦法」で適当に誤魔化し、時には「スルーテクニック」を駆使してスルーする。

そして、「自己評価向上計画」で自分にもっと自信を持ち、「ああ、何か言ってるわね」ぐらいの心境にもっていく。

あとは、自分のストレスを軽減するテクニックも使いましょう。**マウンティングする人は基本的に自信がないから「私すごいアピール」をしているんだとイメイジングすれば、モヤモヤも減る。**

マウンティングしない素敵な人間関係を多く持って分散化すれば彼女のことを考える時間も減ってスッキリ。

ここまでやればばっちりよ。

Case 43

ケース
43

愚痴ばかり言う友人

昔から付き合いのある友人がいます。昔は楽しく遊べていたのですが、最近はかなりネガティブで、いつ会っても愚痴ばかり。多分幸せじゃないんだろうと思って話に付き合っていますが、正直しんどいです。

（31歳、女性）

「最近のアナタ、ネガティブすぎるわよ。

Tomy流アンサー

これは付き合いの長い友人との関係性が、悪いほうに変わっていったパターンね。情があるがゆえに、「最近なんだか変だな」と感じるのは寂しい感じがするわよね。一方で「なんとかしてあげたい」という思いも出てくるのでしょう。基本的に枠組み設定は使いづらいんだけど、関係性が深い場合は枠組み設定を使えるときがあるわ。

これは相手のためを思って一勝負かけるときよ。

「最近のアナタ、ネガティブすぎるわよ。愚痴るのをやめないともう会わないよ」と切り出す方法ね。ただこのときは気持ちを込めて言わなきゃいけないし、そのまま疎遠になるリスクもあるわ。でもまあ、それで疎遠になったらそういうご縁だったと思うしかないかもしれないわね。

そこまでいかないとすれば、やはり距離感をとるテクニックを使って、アナタが疲れない程度に距離を調整していくしかないでしょう。

また、自分のストレスを軽減するテクニックも有効。長い付き合いの友達だから、相手の状況を詳しく聞いて「まあ、こんな状態だったらネガティブにもなるわよね」と友人の立場をイメイジングするのもいい方法でしょう。

あと会うときは、最初から愚痴を聞くつもりで会いましょう。そういう割り切り方もいいと思います。

最初から期待せず「愚痴を聞くために会う」自分に徹すればいいのよ。もちろんそんなつもりがないのなら、無理して会わなくてもいいわ。

愚痴るのをやめないともう会わないよ」と切り出す方法ね。

愚痴を聞くときは
「おせっかいおばさん」に
なったつもりで聞くのがベター。
興味津々で、なんでも
首突っ込んでくる人のことよ。

「ほう、ふんふん、それで？」

って感じで適当に聞く。

会う頻度は
「近況に好奇心がわいてきたら」

ぐらいでいいのよ。

ケース
44

自分勝手な友人

友人が自分勝手な人で困っています。いつも自分のやりたいことだけ提案してくるし、**こっちの希望なんて聞いてきやしません。また自分の用事を他人に押し付けてくるのも困っています。**嫌いな人ではないのでついつい付き合ってしまうのですが、毎回この調子だと嫌になってきます。（22歳、男性）

「自分勝手な人とは、自分勝手さを

Tomy流アンサー

このケースは、自分と相手との関係をよく見なおしたほうがいいわよ。ぶっちゃけ、本当に友人っていえるのかしら？　世の中には友人と称して、パシリや子分扱いしてくる人もいるからね。場合によってはいじめに近いものがあるわよ。

もちろん「そんなことはない」って思うかもしれないけど、**人間の心理には防衛機制っていうのがあってね、自分の本音を偽ることで心のバランスをとろうとすることがあるのよ。**だから原点に立ち返って「この人といると本当に楽しいのか」考えてみるといいわ。

それでもやっぱり友人だなと思ったら、やはり距離感をとるテクニックが重要ね。次のように考えておくのがポイントよ。

「自分勝手な人とは、自分勝手さを笑って見ていられる程度のお付き合いに」

自分勝手な人だけど、友達としては楽しい人もいるわよね。いいところが一つもなかったらとっくに友達をやめているでしょうから、それはそれでいいのよ。ただあまり頻繁に、長時間過ごしていると嫌なところが鼻について友達関係が壊れてしまうでしょう。

だから余裕を持って自分勝手さを眺めていられる程度にお付き合いしましょ。会っているときは、はなからこういう人だとあきらめておくのよ。

笑って見ていられる程度の
お付き合いに」

Case 45

ケース
45

SNSでキラキラしている友人

インスタグラムやフェイスブックで、「素敵な自分」の投稿をしまくっているキラキラな友人がいます。

私も見なければいいのですが、ついつい覗いて正直イライラしてしまいます。

（20歳、女性）

#「キラキラ投稿する人は、充実していないから

Tomy流アンサー

この場合、自分がインスタグラムにどんな内容を投稿するかは自由だから、ついつい覗いてしまう自分の気持ちに振り回されないことが大切よね。だから直接言う必要もないし、むしろ言うべきじゃないわ。だって本人の勝手なんですもの。

そうすると、この場合は自分に枠組み設定する、という裏技も使えるわね。たとえば、**「週に1度以上は覗かない」とか、どうしても覗いて辛いのなら「自分のアカウントを消してしまう（SNSをやめる）」とかね。**

また、距離感をとるテクニックも有効だけど、この場合距離をとる相手は友人ではありません。SNSです。「SNSを見る時間を減らす」「いつもSNSを見てしまう時間帯にスマホやパソコンを手元に置かない」とかね。

あとは自分のペースを作るテクニックも有効ね。もちろん、「スルーテクニッ

ク」でスルーすることも大切だし、「自己評価向上計画」で自分の評価を上げておくことも大切ね。

自分のストレスを軽減するテクニックも使えるわ。この場合は「イメイジング法」で次のことを理解しておくといいわ。

「キラキラ投稿する人は、充実していないから投稿するのよ。趣味だと思っておおらかに」

本当に充実して楽しい生活をしている人って、わざわざ凝った投稿しないものよ。投稿して写真も何度も撮り直して、加工してのっけて、コメントも返して……。考えるだけで相当面倒くさいことをやっているのよ。本当に充実していたら、生活自体にせいいっぱい時間を使いたいから、そんなことはやらないと思うわ。そうじゃない人がいたらごめんなさい。

投稿するのよ。趣味だと思って
おおらかに」

ケース
46

首を突っ込んでくる友人

私の人間関係やライフスタイルにいちいち首を突っ込んでくる友人がいます。別にこっちはアドバイスを求めているわけじゃないのに、「こういうところがダメなのよ」「こうすべきじゃないの」などとダメ出ししてきます。それ以外は別に気にならないのですが、過干渉なところが本当に苦手です。（49歳、女性）

逆に友人のことにアナタが口出ししちゃってもいいんじゃない？

Tomy流アンサー

とっても過干渉な友人ね。でも過干渉な親と違って友人は一緒に住んでいるわけでもないし、距離もとれるから、なんとかなると思うのよ。

使えるテクニックは主に距離感をとるテクニックが中心になるわね。「時間減らし術」で、単純に会う時間を減らし、「いつもみんなで作戦」で、二人きりになる時間を作らない。そうすればあんまり干渉してこなくなるわよ。

あと自分のペースを作るテクニックも有効。「自分が主役術」で、話の流れを自分で作っちゃう。**逆に友人のことにアナタが口出ししちゃってもいいんじゃない？　相手のペースを乱せばいいのよ。**

まあ、だけど基本的には友人が干渉してきてもあまり気にしないのが一番。普通に友人なんだから、笑いながら「それは内緒」「『ダメ出しするから嫌』なんてさらっと言っちゃいなさい。

友達なんだから、嫌なことは嫌だとはっきり言っちゃえばいいのよ。それぐらい気さくに接してもいいんじゃない？ これもソフトな枠組み設定といえるけどね。それすら言えないような関係なら、はっきり言って友達でいなくてもいいと思うのよね。

友達といっても礼儀は必要で、お互いの思いやりも必要よ。それができていない人と無理に過ごさなくてもいいと思うわ。アナタが彼女のことが好きならば、はっきり言っちゃうこと。友達なら喧嘩になっても疎遠にはならないわ。

相手のペースを乱せばいいのよ。

Case 47

ケース
47

依存してくる友人

何かにつけて頼ってくる友人がいます。本人が決めればいいことも「代わりに決めてくれない」と聞いてきますし、自分でやらなきゃいけないことも「あなたがやって」と言ってきます。**全般的に依存されている気がします。**私から彼女に頼むことはほとんどないのです。こういう友人とはどうやっていけばいいのでしょうか。（21歳、女性）

一番いいのは意見やアドバイスはして、

Tomy流アンサー

こういう依存性の強い友人は、しっかり枠組み設定してあげるのがいいと思うわ。**依存への対応は、交渉や妥協の余地なく、きっぱりはねのけることね。**自分で決めるべきことは必ず自分で決めてもらうようにしなさい。**一切代わりにやってあげないことよ。でもアドバイスや意見を言うことはいいわ。**

依存性パーソナリティ障害というのがあって、自分で何かを決断することに異常に恐怖感を感じる人がいるのよ。そういう人は決め事を何かと避けてしまい、誰かに決めてもらおうとするのね。

彼女がそういったものかどうかはわからないけれど、少なくとも依存性の強い性格なのは確かだから、友人ならばその傾向を助長しないように接してあげるのがいいと思うの。**一番いいのは意見やアドバイスはして、「でもあなたが決めなきゃダメよ」って促してあげなさい。**

そういった対応をしても、彼女が同じようなことを言ってくるのなら、仕方がないけれど距離感をとるテクニックを使うしかないと思うわ。でも、このときはちゃんと言ってあげたほうがいいわね。

「私といると、アナタが依存してしまってあまりよくないからちょっと距離とるね」と。**何が問題か意外と自分でわかっていないこともあるのよ。**友達のことを考えて、はっきり問題点を指摘してあげるの。

「でもあなたが決めなきゃダメよ」って
促してあげなさい。

ケース
48

ダメ出しする友人

いつも「あなたは〇〇だから」とダメ出しをしてくる友人がいます。**私のことを分析して決めつけてくるような人です。**親のような気分で私を見ているのだと思いますが、正直的外れなことも多いしやめてほしいのです。でも言い出しづらいし、「あなたのためよ」なんて反論されそうです。（51歳、女性）

普通に会話していても、嫌なことを言われたら

Tomy流アンサー

このケースで難しいのは、相手が「自分は正しい」と思っている点なのよね。自分は正義だと思っている人に、意見をするのは難しい。怒り出すこともきっとあると思うのよね。

だからこういう人には枠組み設定は行わず、距離感をとるテクニックを用いるか上手にスルーするしかないのよ。距離をとるときは、普通に接触する時間を減らせばいいわ。また、スルーするときにはコツがあって、基本分析されたら黙っていることが大切よ。

普通に会話していても、嫌なことを言われたらそこには反応せず、黙っているといいわ。うなずくぐらいにして、話をこちらから広げないこと。 いくらダ

メ出ししてくる人でも、アナタが「はい」「うん」と聞いているだけなら話は早めに終わります。運が良ければ「ああ、こういう言い方はしてほしくないのだな」と気づいてくれるかもしれないわね。

もしそれでも直らないようなら、裏技として逆に「意外とそんなことはないんだけど」といちいち反論してみましょう。こうやって**相手のことを決めつける人って、反論されるのが嫌いなのよ。だから反論しまくっていると言わなくなると思うわ。**

そこには反応せず、黙っているといいわ。

ケース
49

ネガティブすぎる友人

友人が「どうせ僕はダメだから」「将来が不安だよ」「もうどうしようもない」といったようにネガティブなことしか言いません。聞いているだけでしんどいです。（19歳、男性）

「いつもネガティブなことしか言わないのは良くないと思うから、

Tomy流アンサー

この場合も、いろんなテクニックが使えるけど、一番いいのはやはり距離感をとるテクニックね。友人に限らず、ネガティブなことしか言わない人とは接しないのが一番だからよ。

ただ問題は相手がネガティブなことじゃないの。ネガティブなことしか口にしないことなの。**ややこしいんだけど、ネガティブな人と、ネガティブなことしか口にしない人は違うのよ。**

ネガティブに考えてしまうのは本人の考え方だからそれでいいと思うのよ。でもネガティブなことを口にしてしまう人っていうのは、相手に対する配慮が欠けているわ。ネガティブなことを考えても、相手への思いやりがあれば普通は黙っているから。

もちろん、どうしようもなく辛いときに、相手を気遣いながらネガティブなことを言うのならいいと思うわ。それを聞くのが友人だと思うから。だけど、この友人の場合は違うわよね。常にネガティブなことを言うのが当たり前になっている。

それって正直甘えだし、依存でもあるのよね。きっとそれを言うことで本人はスッキリしているかもしれないから、ある意味ポジティブともいえるわ。だけど少なくとも自己中心的よね。

もちろん、相手に変わってほしいと思うなら**「いつもネガティブなことしか言わないのは良くないと思うから、今後もこういう話しかできないのなら、距離あけたいと思う」ってはっきり言っちゃってもいいと思うわ。**

今後もこういう話しかできないのなら、
距離あけたいと思う」って

でも、かなり労力を必要とすることだし、そこまでするメリットはない場合が多いと思うのよ。改善する可能性があるのなら、「ごめん、いつもネガティブなこと言っちゃって」と、これまでだって気が付いている発言があると思うのよ。

正直、そんな人と一緒に過ごしてもあまりいいことはないから、適宜距離をあけた付き合いをするしかないと思うわ。

はっきり言っちゃっても
いいと思うわ。

Case 50

ケース
50

意識高い系友人

友人がいわゆる「意識高い系」でちょっと疲れてしまいます。セミナーやオンラインサロンには参加しまくっていますし、ツイッターなどでも座右の銘を入れて発信しまくっています。悪いことではないと思うのですが、なんとなく言動が他人から借りてきたもののように感じます。（28歳、男性）

「かわいい」というレッテルに

Tomy流アンサー

この場合は別に相手が悪いことをしているわけじゃないし、本人の勝手といえば勝手なのよね。他人の領域に口を挟むと振り回しているのは自分になっちゃうから、枠組み設定などは使えないケースね。

またどうしてもそれが生理的に受け付けないのなら、距離をとってもいいけれど、友人なんだしそれもね。

というわけで友人でいられることを優先するのならば、自分のストレスを軽減するテクニックをおすすめするわ。特に今回の場合は「イメイジング法」ね。

相手の立場になって考えてみる。

もしアナタが「意識高い系」だとしたら、いったいどういう理由でそんな行動に出るのか深呼吸してイメージしてみて。そうすると相手の事情やモチベーションが見えてくると思うのよ。

答えわかった？

答えは「背伸びしたい」からだと思うのよ。もっと何か「すごい人になりたい」そう思って手当たり次第にやれることをやろうとする。その結果として「意識高い系」になる。でも背伸びしていると思えばちょっと許せるんじゃない？

もっと言えば、一生懸命背伸びしている「意識高い系」はかわいいともいえるわけ。

「意識高い系」というレッテルを貼るからいつのまにか「痛い人」と思われがちだけど。それってあんまり良くないレッテルよね。だから「かわいい」というレッテルに貼り替えたらいいのよ。

それに意識高い系の人って、アテクシそんなに嫌いじゃないのよね。成長したいという思いが根本にあるわけだから。

貼り替えたらいいのよ。

「意識高い系」の人が
苦手な気持ちもわかるわ。
でも友人があんまり
ずれていたら、その部分だけ
指摘してあげれば

Tomy's Voice

いいんじゃないかしらね。考えようによっては不器用で背伸びしているだけだし、にんまり眺めてスルーしてあげなさいな。

ケース
51

冷たいママ友

数年来のママ友がいます。最初はＰＴＡを通じて知り合い、子ども同士のことを話しているうちに打ち解けるようになりました。一緒にバーベキューをやったり、お茶会をやったり仲良くしていたつもりだったのですが、ある日を境に、急に冷たくなりました。

話しかけてもそっけない対応だし、イベントにも仲間外れにされています。

（39歳、女性）

基本的には距離感をとるテクニック一択。

Tomy流アンサー

基本的に何にも相手に伝えずに態度が変わる人って、幼稚な人なのよ。ふてくされることで周りに察してもらおうとする。だから何も言わない。でもそれって子どものやることよね。
だから基本的には、「急に冷たくなるような人はもともとそういう人」と思うほうがいいわ。

本当の友人だったら、ちゃんと説明してアナタに問題があることは説明してくれるわよ。何も言わずに冷たくされたら誰だって不安になるし不愉快な気分になるでしょ。それができちゃう人なんだから友人なんかじゃないのよ。

だから**基本的には距離感をとるテクニック一択。近くにいると振り回される**
だけです。

こういうことをやる人はまた同じようなことをやるのよ。もし今回アナタががんばって仲直りしたとしても、その後また同じことが繰り返されるし、もっとエスカレートする可能性も高いわ。だからもうこの人とは縁がなかったと思うのがいいわね。

もし向こうから謝ってきたとしても、急に冷たくされたことは忘れないようにするべきよ。警戒しておいたほうがいいわ。

近くにいると
振り回されるだけです。

第6章

自分に振り回されない

これまでの章では基本的に「他人に振り回されない」状況を考えてきました。だけど、悩みの中には「他人に振り回されているようで、自分に振り回されている」状況もちらほらあったわね。

実際のところ、自分の心が乱されなければ、他人に振り回されることもないのよ。だから他人にテクニックを使うだけではなく、自分にもアプローチしてみる。冒頭でまとめたテクニックはすべて、振り回してくる相手に使うものだけど、実は自分にも使えるの。

第6章ではそんなケースを集めてみたわ。もしかしたら、振り回されないための一番手っ取り早い方法かもしれないわ。

Case 52

ケース
52

他人の目が気になる

私は他人からどう思われているのかいつも気になってしまいます。「知らないうちに傷つけていたらどうしよう」「知らないうちに不愉快な思いをさせていたらどうしよう」といつもビクビクしているのです。**友人との付き合いが怖くてできなくなるぐらいです。**

（16歳、女性）

相手ではなく、自分の不安と

Tomy流アンサー

この場合は、距離感をとるテクニックが一番いいわね。**相手ではなく、自分の不安との間に距離を作るのよ。**「時間減らし術」で友達のことを考えている時間を減らして、なるべくいろんなことを行う。そして、相手のことを考えすぎるのを防ぐ。

「いつもみんなで作戦」も使えます。一人の人間のことを考えすぎないように、家族や安心できる友人などと楽しく過ごす。「自分が主役術」も大切。相手を傷つけたかなと不安になるより「自分はこうしたい！」というポジティブな気持ちに切り替えてあげるの。

「自己評価向上計画」もとっても大切。相手から見た自分のことばかり気になるのは自信がないから。だから自信をつけていくようにしましょう。

自分のストレスを軽減するテクニックも大切な方法よ。特にイメイジング、自分がなぜそんな気持ちになるのかという分析は大切。意外と自分のことって自分でわかっていないからね。

自分を分析するときに大切になってくるのは、「防衛機制」というものです。これは精神分析で用いられる概念ね。

簡単に言うと、**人間というのは自分の心に抱いた葛藤をそのままにしておくと、上手くバランスがとれなくなることがあります。そこで自分の気持ちに加工をすることがあるの。**これが「防衛機制」。

防衛機制にはいろんなものがあるわ。いくつかをかいつまんで紹介してみましょう。

- **無視**…無意識のうちになかったことにして、問題が存在しないことにしちゃう方法。見ぬフリというやつです。
- **歪曲**…事実を曲げて、問題点や不安を変えてしまう防衛機制。「屁理屈」と

距離を作るのよ。

「他人からどう思われるか
気になるぐらいなら、

いうのもこれにあたるわね。

・**投影**…本当は自分の感じている気持ちなのに、相手がそう思っていると考えることで心のバランスをとること。

・**反動形成**…自分の本当の気持ちとは裏腹の言動をとること。思春期ぐらいの子が好きな子に意地悪しちゃうのもこれ。

・**退行**…本来の年齢や立場より未熟な言動をとることで心のバランスをとること。誰かに会って甘えたくなるのも一種の退行。

・**逃避**…本来向き合わなければいけない問題があり、その緊張や不安から逃げるために全く別のことを始めること。日常的によく使う防衛機制。

・**自責**…自分を責めすぎてしまうのも防衛機制の一つ。自分を責めることで、何かを償った気持ちになり、落ち着きを取り戻している面も。

他にもいろいろあるけれど、こういったものが防衛機制です。アテクシがこのケースで起こっていると考えるのは、投影や反動形成、自責の防衛機制。たとえば、本当は心の奥では相手に対し悪いと思っているのかもしれない。それをそのまま認めたくなくて、他人が自分を悪いと思っていると考えている可能性もあるわ。この場合は投影です。

また、本当は相手に対し不愉快になり、攻撃的な気持ちになっているかもしれない。そのままそれを認めると、自分が悪いように感じてしまうから、他人に「申し訳ない」と強く思いすぎるのかもしれない。この場合は反動形成ね。

一番可能性が高いのは、自責の防衛機制です。他人が自分を悪く思っているかもしれないと思いすぎて、自分を責める。そこで自分の心が安定化している側面も否定できないわね。

こういった防衛機制に気づくことで、自分の心のありようを認めることができるわ。本来防衛機制は心の安定化を図るためのものだけど、「その場しのぎ」

それ以上に知り合いを
増やしましょ」

の機制も含まれているため、そのままにしておくと逆に心が不安定になっていく可能性もある。

だから自己分析というのは意味があると思います。また、防衛機制には、質の良いものとそうではないものがあるといわれていて、質の良い防衛機制に切り替えていくことで解決していくともいわれているわ。

質の良い防衛機制で代表的なものは、昇華といわれています。これは、不安な気持ちをスポーツや芸術などに転化する方法ね。だから、こういう他人からどう思われているかを打ち消すために、詩や小説などを書いたり、スポーツで発散させたり、あるいは何か勉強をするというのもいい方法ね。

またもっと簡単に分散化も有効です。つまりこういうこと。**「他人からどう思われるか気になるぐらいなら、それ以上に知り合いを増やしましょ」**

友達との関係は相性が大事なのよ。相性というのは、「あまり肩に力を入れなくても、楽しく過ごせる」ということ。いろいろ相手のことを考えてビクビクしてしまうのは、あまり相性のいい人に会っていないからじゃないのかしらね。

改善するためには、気さくにふるまって、知り合いを増やしていくこと。知り合いが多ければ、上手くいく人と長く続く確率が上がるから、上手くいかなかった人のことはあまり気にならなくなっていくものよ。

狭い人間関係だとかえって相手に対する依存度が高くなって、相手のことばかり考えちゃうのよ。広く浅くでいいからまずは知り合いを増やすのよ。

まずは知り合いを増やすのよ。

ケース
53

ネガティブな自分

自分のことをネガティブに考えてしまう癖がありります。**上手くいっていても、いつかは上手くいかなくなるんじゃないかという不安がつきまといます。**そして上手くいかないと「あー、やっぱり私はダメなんだ」という思いに駆られてしまいます。自信も持てません。（25歳、男性）

「上手くいかないときは、

Tomy流アンサー

このケースはある意味、自分に振り回される典型的なケースだと思っていいわね。この場合はネガティブな気持ちを持っても、すぐに頭から切り離すというやり方が基本になってくるわ。つまり、自分の中のネガティブな気持ちから距離感をとるテクニックね。

さらに付け加えるとすれば、次の方法がおすすめよ。**「上手くいかないときは、その理由を知ること」**

「いつか上手くいかなくなるんじゃないか」という不安は「予期不安」といいます。もともとパニック障害などでよく使う概念なのよね。パニック障害では、5分ぐらい続く吐き気、頭痛、動悸、呼吸困難感、めまいなど多彩な症状を伴う「パニック発作」が突然出現する疾患なの。

詳しく調べても体に異常はないけれど、「また起きるんじゃないか」という不安で生活に支障が出てくる。これを予期不安というのね。パニック障害は薬物療法や、認知行動療法などのカウンセリングで改善することができるけれど、「なぜパニック発作が起きるのか」「パニック発作がどういうものか」を理解することも有効なのよ。

つまり**不安の正体や対処法を知ることで、どんどん増大する予期不安を抑えることができるというわけ。**アナタのネガティブさも「上手くいかなくなるかもしれない」という予期不安から生じているともいえるわ。「なぜ上手くいかなかったのか」「今後どうすればいいのか」ということを冷静になって考えて知ることが大切なのよ。ただ一人で考えると「自分がダメだから」といったような偏った考え方になってしまうから、友人や親、上司、恩師などにいろいろ聞いてみたほうがいいかもしれないわね。

その理由を知ること」

Case 54

ケース
54

つい他人の悪口を言ってしまう

私はついつい他人の悪口を言ってしまいます。後で反省するのですが、**気が付くとまた誰かの悪口を言っています。**最近はだんだん周りから避けられてしまっている気がします。一体どうしたらいいのでしょう。（18歳、女性）

「悪口を言わない人と

Tomy流アンサー

このケースでは「やめたいのにやめられない行為」に振り回されてしまっているわね。こういうときは基本的に枠組み設定が有効よ。もちろん自分に対する枠組み設定なんだけど、自分の中だけで完結するとなかなか上手くいかないから、周りに宣言するのもいいわね。

「私、もう悪口言わないことにします。言ったら注意してね」

こう言うだけでも、自制心が働きやすくなるし、さらに追加するなら、「もしうっかり悪口言ったら、ジュースおごるから！」なんて付け加えちゃってもいいわね。

あとはこういう場合は、環境調整も大切よ。具体的に言うと、**「悪口を言わない人と一緒にいなさい」**。

癖になっちゃっているかもしれないけど、やめたいと思っているのなら、少しずつはやめていけると思うわ。まずは「気付いたらこまめに話題を変える」ことを習慣にしましょう。

あと**悪口って、自分から言うより他人に誘導されて加わっているケースが多いのよね。**いきなり自分から悪口を言い出すのは難しいでしょう。あくまで「悪口を言いそうな人のグループ」があって、その中の話題として悪口が出てくるのだと思うの。一方で悪口をあまり言わない人って思いうかばないかしら？こういう人を前にすると悪口言いにくいから、そういう人と一緒に過ごすようにしたほうがいいわね。

一緒にいなさい」

ケース
55

寂しさに弱い自分

私は寂しさに弱く、一人でいられない傾向があります。仲のいい友達は、私と逆で一人でも平気でなんやかんやと楽しそうに過ごせる人です。正直うらやましいです。(17歳、女性)

いつもすぐに会えなくても

Tomy流アンサー

寂しさの克服ってなかなか大変なのよね。ここで使えるのは枠組み設定と自分のペースを作るテクニックです。

枠組み設定に関してはわりと目標を立てやすいと思います。**「この週末一人で過ごせたら、ご褒美で美味しいものを食べよう」などと目標を作って自分を管理するのよ。**

また自分のペースを作るテクニックも有効ね。寂しいと感じたら、自分のやりたいことをして気持ちを切り替えるの。自分のやりたいことをしていると寂しいとは感じにくいものよ。

「自己評価向上計画」もおすすめ。寂しがりやの人は、自分にあまり自信がない人が多いわ。嘘でもいいから「私は一人でも楽しめるし！」と心の中でつぶやいてみて。これだけでもだいぶ違うと思うわ。

また自分のストレスを軽減するテクニックもいいと思うわ。その中で一番使えるのは「分散化法」です。多くの友達を作れば意外と一人でも楽しく過ごせるのよ。**実際に誰かといなくても、「つながりが多い」と思うだけで一人でも遊べるものなのよ。**もちろん趣味を多く持って、時間を上手く使えるようにすることも有効です。

あとは考え方として、「寂しさの克服は、ゆっくり考える」。

寂しさの克服ってなかなかすぐにはできないのよ。だから、ゆっくり、のんびり解決するつもりでいきましょうよ。だってね、40をとうに過ぎたアテクシも克服できていないから！

人間って根本的には孤独なもの。かといって誰かと一緒じゃないと上手く生きていけないものなのよ。だから常に誰かと一緒にいないとダメでは、現代社会を生きていくのが難しいから、適度に一人でもやっていけるように調整していく必要があるわけ。

一つのコツとしては、**いつもすぐに会えなくても心の支えになるような人を作っておくのがいいと思うわ。**恋人、家族、親友、名称や呼び名はなくてもいいの。アナタにとって、すぐに会えなくても心の支えになってもらえる存在よ。

作っておくのがいいと思うわ。

いつも会えていないけど

心の支えになる人がいれば

一人の時間もなんとか

やっていける。

あとは目の前の寂しさだけで

動かないこと。

安易な人間関係は

本質的な寂しさを

かえって助長することがあるから。

Case 56

ケース
56

やることがないと不安

私は空いた時間を一人で過ごすのが苦手で、なんやかんやと予定を入れてしまいます。最近は新型コロナウイルスの影響もあり、家にいる時間が増えてきました。**何もやることがないと意欲もわかず、とりとめもないことを延々と考えてしまいます。**（40歳、女性）

まずは「環境」や「考え方」を

Tomy流アンサー

このケースも先ほどのケースに似ているわね。違う点は一つ前の悩みは「寂しさ」に焦点が当たっていたけど、今回のケースは「空いた時間を上手く過ごせないこと」に焦点が当たっている点です。

そこで自分のストレスを軽減する「分散化法」を主に用いてみましょう。つまり一つの趣味で費やせなければ、たくさんの趣味、あるいはやってみたいことを詰め込む。

空いた時間がのんびり過ごせるかどうかは、アナタの性格や性質によるところが大きいのよ。性格や性質は変わらないわけじゃないけれど、時間がかかるから、**まずは「環境」や「考え方」を自分の性格や性質に合った形に調整して**

あげるのがいいと思います。つまり、「今できる範囲で『予定』としてスケジューリングするの」。

今の状況でできるとすれば、家の中でできることや、3密を避けた環境でできること（オープンスペースでの散歩など）を「予定」としてスケジュールに組み込んでしまうことが大切だと思うわ。

「やりたいときにやる」だと取り組めないのだと思うのよ。そして、一人だと達成するためのモチベーションがわきづらいと思うので、「他人」を関わらせるのがいいと思うわ。

たとえば、SNSで料理の披露をする会を作るとか、家族に「今日は手作りおやつの日」と宣言するとかね。

特にすることのない時間を楽しく過ごすために、体の疲れを使ってもいいと思うわ。

自分の性格や性質に合った形に

たとえばウォーキング、サイクリング、ジョギングなどをすると体が疲れて動けなくなると思うのよ。それを理由に、空いた時間をグダグダ過ごすといいと思います。このグダグダ感が、アナタが嫌だと思っている「空いた時間をゴロゴロする感覚」に近いの。

大して動かなくても、このグダグダ感が楽しめるようになれば、予定のない時間も過ごしやすくなると思うわ。

調整してあげるのがいいと思います。

ケース
57

先が不安でたまらない自分

今、学生です。今は学校に通って友達もいて、帰ってきたら両親もいて楽しく過ごせています。でもいずれ受験をしなきゃいけません。受験や就職など先々の試練を考えて不安になってしまいます。不安が消えないので何もかも嫌になるんです。

（17歳、男性）

Tomy流アンサー

これはネガティブな気持ちに自分が振り回されてしまうパターンね。だから「自分の気持ちに振り回されない方法」の基本に基づいて対応すればいいと思うわ。

今回のケースでは相談者に少し強迫的な傾向があるように感じるわ。強迫的というのは、**一つの考えが頭から離れずに、それにこだわってしまう不安よ。この考えのことを「強迫観念」というわ。**実際にあまり現実的ではない考えであっても、頭から離れないのが一つの特徴ね。

有名な強迫観念としては、「確認強迫」。これは火の元や、鍵かけを何度確認しても「大丈夫だろうか」と不安になってしまうこと。また、「他害恐怖」というのも有名ね。これはたとえば車に乗っているときに「誰かをはねたんじゃないだろうか」と不安になってしまうこと。「バカバカしい」と本人が思っていても囚われてしまうのよ。

このケースでは受験で合格するかどうかは確かに不安だけど、その先の不安はまだ考えるのが現実的じゃないし、「なんとかなる」とたいていは思って切り離せる。でもアナタの場合は頭から離れない。先取りしすぎる部分が強迫的なのよ。

実際のところ、自分の心が乱されなければ振り回されることはない。「自分が主役術」で、**不安に振り回されないように自分のやりたいことを強く意識してみて。「合格するかどうか不安」という気持ちより「私は合格するんだ！」と意志を強く持つ。**

他にも、「合格して今の友達に会えなくなったらどうしよう」→「合格してもみんなに会う時間を作るぞ！」、「大学で上手くやっていけなかったらどうしよ

本当は経過なの。

う」→「大学生活をエンジョイするぞ！」、「就職活動上手くいかなかったらどうしよう」→「〇〇に就職するんだ！」と考え方を変えるようにするのよ。

「自己評価向上計画」も大切なことね。不安な気持ちより「自分なら大丈夫！」と自分に言い聞かせるだけでもだいぶ違うと思うわよ。

また、こう考えておくのも役に立つと思うわ。**「人生は結果じゃなくて、過程なのよ。今の過程を楽しみましょ」**

人生って結果だと思われているけれど、本当は過程なの。だって最後はみんな死んじゃうわけだから、究極的には結果は「死」になっちゃうと思うのよ。人生を楽しんでいる人って、結果が上手くいくかどうかはおまけ程度に考えているのよ。その過程が楽しいと思える人なのよ。

お買い物と同じなのよ。何か欲しいものがあれば、それについていろいろ調べるでしょ。そして自分の予算の範囲の中で最適なものを探して、いろんな店に見にいく。これが楽しい。

今のアナタはそれをせずに「適切なものが買えるだろうか」なんてことばかり考えて不安になっているようなものよ。なあに、もし買ってしまって、「もっといいのがあった」と気が付いても、アナタが熟慮して楽しんで選んだことには変わらない。だから、「結果はおまけに過ぎない」というわけなのよ。

たとえば**今のアナタは過程である「学生生活」を楽しめばいい。アナタの不安は正しいのよ。今の環境は今だけ。だったら、それを楽しむしかないじゃない。**

「学生生活」を楽しめばいい。

先を不安に思わなくてもいい。

なるようになっていく。

そのときある日常を

楽しむように心がければ、

楽しいものになっていくわ。

人生は映画。

エンドロールを見るために

生きているわけじゃないでしょ。

Case 58

ケース
58

自分のやりたいことがわからない

私は自分のやりたいことがつかめていません。大学で経済学部に入ったものの、しっくりこなくて文学部に転部しています。就職では大手の商社に入ったものの、いまいち自分に向いていないと感じ、去年ＩＴベンチャー企業に転職しました。そろそろ30歳も近くなり、このままでいいのか不安です。

（29歳、男性）

しっくり来る感じって、「ここでやっていこう」という

Tomy流アンサー

今回は自分探しに振り回されている人ね。こういう人は基本的に「このままでいいのか」という焦りを強く持っているわ。ここで主に使える方法は自分のペースを作るテクニックになってくると思うわ。

まず「自分が主役術」。こういうときって、**自分がやりたいことを探しているようで、実は「他人に認められたい」という承認欲求のほうが先に来ているのよ。**だから何をやっても空回りになってしまうわけ。ちゃんと「自分が主役」にならなきゃいけないのよ。

アナタは何がしたいの？　そして何をしたくないの？　何もしたくないとき

だってあるし、別に恥ずかしいことでもないわ。自分の意志を素直に意識することね。

そして、承認欲求が強いときは自信が足りないときなの。「自己評価向上計画」で、しっかり自分に自信を持つこと。あきらめず、上手くいかないときも続けてみること。それが一番必要なことなのよ。

そして、次のことも覚えておいて。**「意図的に環境を変えなくても、転機は突然訪れるわ」**

アテクシも気持ちはわかるわよ。どこに行ってもなんとなく馴染めない自分、これでいいのかと問うてしまう自分がいるのでしょう。飽きっぽいというよりも「真面目すぎる」のかもしれないわね。

実は**しっくり来る感じって、「ここでやっていこう」という半ばあきらめの気**

半ばあきらめの気持ちから
生まれるのよ。

持ちから生まれるのよ。ある程度そこにいることで「自分がしっくり来ないものの正体」が具体的に見えてくるし、ただそこにいるだけで自分が適応して馴染んでくるの。

ほらゲームや小説、映画でも同じことよ。最初世界観や設定に馴染むまでは体力もいるし、のめりこめない。ただある程度世界観がわかってきて、勝手がわかるようになって、はまるようになる。

人生はある程度

流れに任せて、

大きな不満がなければ

そこにいるようにしたほうがいいわ。

世の中って

上手くできているもので、

腰をすえてやっていても

転機って訪れるのよ。

そのときに本当に悩めばいいわ。

あとがき

アテクシの言葉はすべて、自分や周囲に振り回され悩んだ今までの経験から産み出されているわ。最後にアテクシの人生をダイジェストでお届けします。

【幼少期〜小学生】

・人口8千人ほどの田舎町に生まれる。実家は昔からある小さな内科医院
・父、母に「いずれ医者になって病院を継ぐんだよ」と言われて育つ
・近くの大都市にある中高一貫校を受験するよう、父に言われる。周りに中学受験する同級生はゼロ
・初日の塾のテストは最下位。たくさんの塾の課題でふらふらになる

【中学生】

・無事合格し、田舎町から学校のある大都市へ引っ越し。アパートを借り、母親と一緒に住むことに。

・やんちゃな子のグループに目をつけられ、いじめられる
・担任に相談しても対応してくれず、また両親には恥ずかしくて言えず

【高校生】

・仲の良い友人S君にはじめての恋心
・S君「俺な、悩みがあるんだけど。なんか俺体毛が少ないんよ」
アテクシ「え、そんなことないと思うけど」
この会話で、はっきりとS君のことが好きなんだと気づく。
・S君に彼女ができる。告白はできず、一緒にいて楽しいことに集中する

【大学生】

・自分がゲイだとはっきり自覚
・合コンや部活など、大学生らしい青春はいまいち謳歌できず
・ゲイバーや掲示板、ゲイのボランティアサークルなどで活動するようになり、恋人ができる

【研修医時代】

・研修医をする中で覚えなくてはいけない手技が、圧倒的不器用さも手伝い、全く習得できず

・指導する直属の上司がパワハラ気味ということもあり、自信をすっかり失い適応障害に

・ゲイと自覚したアテクシに、何か答えをくれるかもしれない精神科に入局することを決意

【父との別れ】

・アテクシの帰りを楽しみに待っていた父。2週間後、突然クモ膜下出血で倒れる

・あちこちの病院を転々とし、何もしゃべれないままやせ細っていく父

・父が亡くなり、空虚な穴の開いたアテクシに当時のパートナー、ジョセフィーヌが、ブログを書いてみたらとアドバイス

【精神科医Tomy誕生】

・ジョセフィーヌとの生活を面白おかしく書くブログにはまり、どうしたら多くの人に読んでもらえるか考え出す
・小さな頃からの夢だった自著を出版することに
・医院も軌道にのり、穏やかな日々
・父が亡くなって3年後、7年間一緒に過ごしたジョセフィーヌが急逝。世界が壊れる

ブログを始めるきっかけとなり、ブログにもキャラクターとして登場していたジョセフィーヌの死は、悲しみというよりもアテクシを大混乱にさせました。それまでのアテクシは、彼といることが第一の目的になっていたのです。

悲しみを感じるより、世界が壊れたと感じ、大混乱に。アテクシはここから回復することがなかなかできませんでした。

未だにしっかり立ち直れているのか確信はありませんが、7年経ち、アテクシの中で、どんな状況でも振り回されない方法をいくつか確立したのです。

- お散歩しながら物思いにふける
- すべての物事は考え方次第で楽になる
- 眠れないときも、目を閉じて体を横たえるだけでいくらかましになる
- 何より自分の健康を優先し、譲れないところは断固として断る
- 空虚な穴は、何かを作ることで埋められる
- あきらめない
- 肩に力を入れすぎない

そして

必ず良くなると信じること

終わらない辛さはありません。いずれは時間が解決してくれます。それを信じることが何事にも振り回されないために大切なことです。どんな状況でも、決して出口の見えない状況でも、振り回される時代には終わりが来るのです。

それを知っているだけで、大きな支えとなってくれると思います。これがアテクシがこの本で贈る、最後のテクニックです。

Tomy

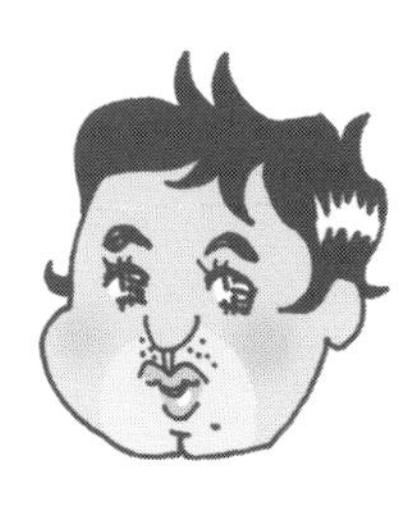

精神科医Tomy（せいしんかい・とみー）

1978年生まれ。某国立大学医学部卒業後、医師免許取得。ゲイである自分に何か答えをくれるかもしれないと精神科医局への入局を決意。精神科病院勤務を経て、現在はクリニックの常勤医として日々数多くの患者さんと向き合うと共に、2019年6月から本格的に投稿を開始したTwitter「ゲイの精神科医Tomyのつ・ぶ・や・き」で現代人の心を癒している。『精神科医Tomyが教える 1秒で不安が吹き飛ぶ言葉』(ダイヤモンド社)、『失恋、離婚、死別の処方箋　別れに苦しむ、あなたへ。』(CCCメディアハウス）など著書多数。

ツイッター：@PdoctorTomy

人の好き嫌いなんていい加減なものよ。
他人に振り回されないためのTomy流処世術

2020年 9月 9日　初版発行

著者／精神科医Tomy

発行者／青柳昌行

発行／株式会社KADOKAWA
〒102-8177　東京都千代田区富士見2-13-3
電話 0570-002-301(ナビダイヤル)

印刷所／凸版印刷株式会社

●お問い合わせ
https://www.kadokawa.co.jp/（「お問い合わせ」へお進みください）
※内容によっては、お答えできない場合があります。
※サポートは日本国内のみとさせていただきます。
※Japanese text only

定価はカバーに表示してあります。

ISBN 978-4-04-604896-7 C0030